La grande cucina | Verdure

Verdure

La grande cucina | *CORRIERE DELLA SERA*

LA GRANDE CUCINA
Corriere della Sera

Verdure

Edizione speciale
per il Corriere della Sera
© 2004 RCS Quotidiani S.p.A.

"I MANUALI DEL CORRIERE DELLA SERA"

Direttore responsabile: Stefano Folli
RCS Quotidiani S.p.A.
via Solferino 28, 20121 Milano

Registrazione Tribunale di Milano numero 564
del 6-9-2004
Sede legale: via Rizzoli 2, Milano

ISSN 1824-5692

Rizzoli Libri Illustrati

Direzione editoriale
Luisa Sacchi

Coordinamento editoriale
Annamaria Palo

con la collaborazione di
Giovanna Vitali, Cristina Pradella

Art direction
WEP-Milano

Testi introduttivi
Fabiano Guatteri
Nicoletta Negri

Realizzazione editoriale
ART Servizi Editoriali S.p.A., Bologna
Coordinamento redazionale
Monica Monari, Giusi Signori
Autori
Patrizia Pulga, Cristina Ortolani
Paolo Gentili (Scuola di cucina)
Dario Barbieri ("Zampa") e Max Rungger (Vini)
Redazione
Federica Balducci, Cristina Ciccotti, Maria Linardi,
Patrizia Maria Moro, Giovanna Ruo Berchera,
Laura Santi, Federica Stefanini, Fabio Tasso,
Leonardo Torchi
Impaginazione e fotolito
Fabrizio Cani, Emanuela Zanotti
Fotografie
Francesca Brambilla, Fotoreporter, Roberto Gennari,
Stefano Mosna, Pulga e Pedrini, Marco Verzella
Piatti Pagnossin S.p.A, via Noalese 94 (TV)
Oggetti in vetro IVV - S. Giovanni Valdarno (AR)

Copertina WEP-Milano
© Foto di copertina Olycom
© Foto III e IV di copertina Photofood
© Photofood per Crude, Al vapore e lessate,
Al tegame e fritte, Al forno, Preparazioni miste
© Foodpix/Olycom
© Stockfood/Speranza
© Francesc Guillamet, foto p. 131
© Zefa Visual Media

Sommario

Introduzione

Per milioni di anni l'uomo ha ricavato da frutti, foglie, tuberi o semi gli alimenti necessari alla propria sopravvivenza. "... E il Signore Dio fece spuntare dal suolo ogni sorta di alberi belli a vedersi, dai frutti soavi al gusto... Il Signore Dio prese adunque l'uomo e lo pose nel paradiso delle delizie, affinché lo coltivasse e lo custodisse."

Queste le parole della *Genesi*, secondo la quale Adamo ed Eva dovevano essere agricoltori e vivere dei soli frutti della terra. Legumi e cereali hanno rivelato fin dai primi tempi le loro interessanti peculiarità, per esempio il senso di sazietà che procuravano, l'alto valore energetico e la lunga conservazione.

La parola legume deriva dal verbo latino *legere*, che significa "raccogliere"; sotto questo nome vennero raggruppati tutti i semi racchiusi in un baccello, che potevano essere schiacciati e ridotti a purea. I primi legumi a entrare nella dieta furono le lenticchie, le fave, le vecce, seguite dai piselli. Successivamente questo termine, in cucina ma soprattutto nella ristorazione, assumerà un significato più ampio e finirà per indicare tutta la verdura cotta servita come contorno.

L'importanza delle verdure nell'alimentazione è testimoniata in diversi scritti, il più interessante dei quali è il *De re coquinaria* di Apicio, scritto nel I secolo d.C. Il celebre gastronomo romano dedica spazio a ricette a base di bietole, cipolle, aglio, zucche, asparagi, malva, porri, carote, rape, erbe rustiche del campo, ortiche, cicorie, lattughe e cardi, mostrando un'ampia panoramica dei prodotti dell'orto utilizzati nell'antica Roma. Nel Medioevo le-

gumi e verdure venivano consumati in abbondanza sia dalle classi abbienti sia da quelle povere; nel corso del Cinquecento sono numerosi gli scritti che ne testimoniano l'utilizzo nei grandi banchetti. In queste occasioni le preparazioni erano arricchite da spezie profumate (per esempio noce moscata, cannella, chiodi di garofano e pepe), che venivano importate dalla Cina e dall'India ed erano considerate un vero e proprio lusso, alla portata di pochi privilegiati. Nel tentativo di tracciare una nuova rotta per il commercio delle spezie, gli europei approdarono sulle coste dell'America: qui, invece delle spezie, trovarono il mais, la patata, la patata dolce, il peperone (piccante e

dolce), il pomodoro e il fagiolo, destinati a cambiare in maniera radicale le coltivazioni e l'alimentazione del Vecchio Continente.

I fagioli ebbero un successo immediato, forse perché molto simili ai piselli, mentre il pomodoro venne introdotto come pianta ornamentale e fece il suo ingresso in cucina solo verso la metà del XVIII secolo.

Anche la patata, nonostante fosse semplice da coltivare, non ebbe vita facile. Proveniente dall'America del Sud, già coltivata dagli Aztechi, entrò in Europa grazie agli Spagnoli verso la metà del XVI secolo. I primi, dubbiosi, tentativi gastronomici puntarono l'attenzione non sul tubero ma sulle foglie, e le conseguenti intossicazioni (causate dalla solanina in esse contenuta) relegarono la patata in un angolo della cucina.

All'inizio del XVII secolo Inghilterra e Irlanda avviarono le prime coltivazioni e proposero alcune ricette, seguite da altri Paesi dell'Europa centro-settentrionale, che utilizzarono però questo alimento per sfamare gli eserciti e le classi meno abbienti. In Francia la patata rimase lontana dalle tavole fino al 1780, quando l'agronomo e farmacista Augustin Parmentier, che ne aveva apprezzato le qualità durante la guerra di Prussia, riuscì a convincere Luigi XVI ad assaggiarla: il sovrano ne fu entusiasta e le coltivazioni di questo tubero cominciarono a moltiplicarsi, trasformando la patata in un ingrediente fondamentale per la cucina.

Con il tempo l'offerta di legumi e ortaggi è diventata sempre più ampia e, di conseguenza, l'alimentazione più ricca e sana. Negli ortaggi il valore nutrizionale è costituito dalle vitamine e dai sali minerali, mentre i legumi, la cosiddetta "carne dei poveri", sono una buona fonte di proteine. Il consumo di questi cibi è fondamentale per una corretta alimentazione: devono quindi essere inclusi nel menu quotidiano; per il benessere dell'organismo le attuali indicazioni consigliano di mangiare, se possibile, cinque porzioni di verdura al giorno.

A questo proposito occorre fare alcune considerazioni. Oggi abbiamo a disposizione, in qualsiasi momento dell'anno, ortaggi provenienti da tutto il mondo: zucchine fresche a Natale, piselli ad autunno inoltrato, zucche a primavera. A prima vista potrebbe sembrare un vantaggio, in quanto abbiamo la possibilità di arricchire la tavola con piatti sempre vari, ma bisogna tenere conto di due fattori importanti e strettamente legati: la raccolta e la

stagionalità. Gli ortaggi cominciano a perdere le loro proprietà nutrizionali a partire dal momento della raccolta, ed è facile intuire che i prodotti conservati a lungo in celle frigorifere hanno meno sapore e soprattutto poche sostanze nutrienti. Meglio quindi optare per le verdure fresche e di stagione, che mantengono intatte le loro proprietà nutritive, e aiutarsi con la fantasia per cucinare piatti ricchi e appetitosi.

Come inserire le verdure nella composizione del menu

Gli ortaggi sono prodotti fortemente legati al ciclo delle stagioni e sono spesso determinanti per la buona riuscita di un menu: serviti come unici protagonisti oppure abbinati ad altri ingredienti, quali i formaggi, se ben presentati aggiungono al pranzo o alla cena un tocco di classe e raffinatezza in più. Oltre alle verdure in senso stretto, vanno presi in considerazione anche i legumi, freschi in primavera o secchi nei mesi freddi, che sono alla base di piatti molto interessanti, dai più semplici ai più elaborati.

Nell'allestimento del menu potete decidere di utilizzare solo verdure di stagione, rinunciando cioè a quelle importate o di serra.
Ciò significa, per esempio, non acquistare peperoni e melanzane in inverno, ed è per questo una scelta che non tutti condividono: alcuni chef sostengono infatti che essa limiti la libertà e la creatività in cucina e preferiscono quindi utilizzare tutte le possibili verdure in ogni periodo dell'anno.

Quale che sia la vostra scelta, ricordate che nel comporre un menu vanno armonizzati elementi quali il sapore, il tipo di cottura e perfino il colore degli ingredienti. Verdure come gli asparagi hanno sapore più delicato dei peperoni: pertanto, volendo seguire le regole del menu "in crescendo" (una scala ideale in cui i piatti delicati vengono serviti sempre prima di quelli saporiti), la precedenza spetterà a loro. Naturalmente si deve

tener conto anche del tipo di cottura, che può modificare notevolmente il sapore, quindi invertire le posizioni.
In generale le verdure sono gli ingredienti base per ottimi antipasti, perché grazie al sapore tenue non contrastano con eventuali primi piatti di gusto più intenso, per esempio al sugo marinaro o di carne. Un'altra regola generale vuole che la stessa verdura non appaia in più portate, anche se

cucinate in maniera diversa. Neppure il metodo di cottura deve ripetersi, perciò evitate di proporre due portate al vapore, alla griglia oppure bollite. Infine non va trascurato il colore: la successione delle portate dovrebbe prevedere una certa armonia oppure un contrasto: si eviterà quindi la monotonia degli ortaggi dello stesso colore (spinaci, bietole, barba di frate per il verde; carote, peperoni e pomodori per il rosso e via elencando). Le verdure, così come alcuni legumi (fave novelle) e i funghi (ovoli, porcini, prataioli coltivati), si possono servire anche crude. Zucchine, cavolfiore, verza, topinambur, asparagi e carote sono ortaggi che vengono tradizionalmente cotti, ma sono perfetti anche per gustose insalate. Le verdure crude vanno apprezzate inoltre perché mantengono intatta la loro consistenza, soda e croccante, oppure morbida e cedevole: un esempio è il tradizionale pinzimonio, un insieme di colori e sapori da accompagnare con salse sfiziose.

Più spesso le verdure sono uno dei tanti ingredienti che compongono la ricetta. In questo caso è la materia prima più saporita che determina la posizione del piatto all'interno del menu: le zucchine gratinate sono un valido antipasto, ma se fossero farcite con carne sarebbero più indicate come secondo. Infine i legumi, da secoli utilizzati in cucina per preparare piatti "poveri" ma al tempo stesso estremamente raffinati, da soli o abbinati a verdure: zuppe e insalate calde o fredde sono solo alcune delle proposte che troverete in questo volume.

I vini per le verdure

Se le verdure vengono servite semplicemente come contorno, il vino deve ovviamente essere abbinato alla portata che accompagnano. I piatti a base di verdure, invece, sono caratterizzati da sapori tenui che richiedono abbinamenti specifici, di norma vini bianchi poco impegnativi. Particolare attenzione va data ai carciofi crudi, ortaggi in cui la ricchezza di tannino allappa la bocca e impedisce di apprezzare il gusto del vino. I carciofi bolliti, invece, hanno un sapore più morbido e l'accostamento risulta meno problematico.

Sono inoltre da evitare abbinamenti con verdure decisamente amare, come la cicoria, il dente di leone e la scorzonera.
In linea di massima, per accompagnare gli ortaggi crudi, cotti al vapore oppure bolliti si possono scegliere vini bianchi non corposi, come per esempio l'Est!Est!!Est!!! di Montefiascone, fine, caratteristico, leggermente aromatico; il sapore è secco, sapido, armonico e persistente. Si può inoltre provare il Riesling Italico dell'Oltrepò Pavese, i cui profumi ricordano l'uva matura, le mele, talvolta i fiori di tiglio; il sapore è secco, fresco, gradevole, più o meno delicato, armonico ed elegante.
Le verdure cucinate al tegame e al forno sono in genere più saporite, pertanto si abbinano a vini dotati di corpo più pronunciato, per esempio il Valcalepio bianco; ottenuto da un mix di uve pinot bianco, chardonnay e pinot grigio, possiede colore giallo paglierino, con marcato profumo fruttato, buona struttura e armonia.
Un altro vino adatto è il Trebbiano d'Abruzzo di nuova generazione, ossia ottenuto da uve a bassa resa, così da elevarne la qualità. È un bianco dal profumo delicato, gradevole, in alcune produzioni lievemente fruttato; il sapore è asciutto, sapido, vellutato, armonico, con possibile fondo amarognolo

e ricordo di frutta fresca. Queste sono naturalmente indicazioni di massima, in quanto asparagi e cavolini di Bruxelles hanno intensità di sapore ben diverse, ma è anche vero che non è possibile scegliere il vino "ideale" per ogni singola verdura. Riveste invece importanza la presenza nel piatto di altri ingredienti che possano modificarne la sapidità. In genere tutti gli ortaggi ripieni di farce di magro richiedono i vini indicati per le preparazioni in tegame e in forno. Se il ripieno è invece di carne, oppure di carne e salsiccia o ancora di carne e formaggio, scegliete vini rosati come l'Alezio, prodotto lasciando macerare il mosto con le bucce sino a quando assume una coloritura rosa con riflessi corallo. Il vino così ottenuto possiede profumi di ciliegia e di frutta fresca; il sapore è morbido, elegante, di buona persistenza. Se il gusto del ripieno fosse prevalente, al punto da richiedere un vino rosso, sceglietelo giovane e poco impegnativo, come il Rossese della Riviera Ligure di Ponente, da non confondere con quello di Dolceacqua (che è invece più corposo). Si tratta di un vino delicato, fragrante, in alcune produzioni arricchito da profumi floreali (rosa canina, rosa e viola) e fruttati (piccoli frutti), di sapore asciutto, delicato, morbido, con fondo amarognolo.

I timballi di verdura, specie se realizzati con ingredienti quali formaggi saporiti e invecchiati, devono essere accompagnati dagli stessi vini indicati per le verdure ripiene.

Crude

Bocconcini di champignon al caprino e olive

Difficoltà: minima
Preparazione: 20 minuti

Ingredienti per 4 persone

24 piccoli champignon freschissimi

1 caprino

2 cucchiai di pâté di olive verdi

1 cucchiaio di grana grattugiato

qualche foglia di prezzemolo

1 limone

100 g di soncino

pepe nero in grani

Il vino

Accompagnate con il Terre di Franciacorta bianco, prodotto da uve chardonnay e pinot bianco.

Mondate e lavate il soncino; dopo averlo ben scolato, foderate con le sue foglie il piatto da portata.

Pulite i funghi tagliando con un coltello la parte terrosa del gambo e strofinateli accuratamente con un canovaccio umido per eliminare ogni traccia di terra residua. Separate il gambo dalle cappelle e pelate queste ultime dando loro una forma tondeggiante; disponetele in un piatto e spruzzatele con il succo filtrato di mezzo limone affinché non anneriscano.

In una terrina a parte amalgamate il caprino con il grana grattugiato, il pâté di olive, il prezzemolo lavato e finemente tritato e una macinata di pepe. Con il composto formate delle palline che chiuderete, premendo bene, tra due cappelle di champignon.

Disponete i dodici bocconcini così ottenuti sul letto di soncino e riponete in frigorifero fino al momento di servire.

> I funghi erano apprezzati fin dall'antichità da Babilonesi ed Egizi. In Cina e Giappone li utilizzavano come farmaci per potenziare le difese dell'organismo. I primi tentativi di coltivarli risalgono al XVII secolo, in Francia: proprio per questa ragione i funghi coltivati più diffusi sono detti "champignon", dal termine francese che significa appunto fungo. In Italia i primi veri tentativi risalgono invece alla fine del XIX secolo.

Caprese al tofu

Ingredienti per 4 persone

4 pomodori costoluti

400 g di tofu

1 mazzetto di basilico

1 cucchiaio di salsa di soia dolce

4 cucchiai di olio extravergine di oliva

sale

pepe

Il vino
Accompagnate con un Rosato del Salento, da servire freschissimo e giovane per esaltare i profumi della malvasia.

Mondate e lavate i pomodori, scolateli bene e affettateli sottilmente; tagliate il tofu a fette di eguale spessore. Disponete questi ingredienti sui piatti individuali, alternando le fettine di pomodoro e quelle di tofu.

In una piccola ciotola emulsionate l'olio con la salsa di soia, una presa di sale e una macinata di pepe.

Dal mazzetto di basilico selezionate le foglie più piccole, lavatele e asciugatele tamponandole con carta assorbente da cucina. Distribuite il basilico sulla caprese, irrorate con l'emulsione di olio e salsa di soia e servite.

Ingrediente fondamentale nella tradizione gastronomica orientale, il tofu è sempre più amato e utilizzato anche in Occidente, grazie alla delicatezza e alla versatilità che lo contraddistinguono. Ottenuto dai semi di soia per estrazione e coagulazione, è un alimento dall'elevato valore nutrizionale e dal ridottissimo apporto calorico, ricco di proteine, povero di grassi e facilmente digeribile. Costituisce pertanto una valida alternativa vegetale a formaggio, carne e uova.

Insalata di carote e mele verdi con maionese allo yogurt

Difficoltà: minima
Preparazione: 20 minuti

Ingredienti per 4 persone
6 carote medie
3 mele verdi
1 limone
1 uovo
2 dl di yogurt intero
1 filoncino di pane alla soia
1 dl di olio extravergine di oliva
sale
pepe

Il vino
Servite con il Kerner della Val d'Isarco. Questo vitigno di origine austriaca è oggi al centro dello sviluppo di nuovi interessanti vini altoatesini.

Preparate la maionese allo yogurt: riunite nel bicchiere del frullatore l'uovo, il succo filtrato di mezzo limone, una presa di sale e una macinata di pepe; frullate il tutto, aggiungendo lentamente l'olio versato a filo. Incorporate con delicatezza anche lo yogurt, azionando il frullatore alla velocità più bassa.

Lavate e raschiate le carote; sbucciate le mele ed eliminate il torsolo. Tagliate entrambe a julienne, trasferitele in una terrina e spruzzatele con il succo filtrato del limone rimasto.

Condite carote e mele con la maionese allo yogurt. Mescolate bene, distribuite l'insalata nelle ciotole individuali e servite accompagnando con fettine di pane alla soia.

Le carote forniscono vitamine del gruppo B, calcio, fosforo, magnesio, iodio e sono ricchissime di caroteni, precursori della vitamina A, che proteggono dall'invecchiamento cellulare.

Pomodori ripieni
ai frutti di mare

Ingredienti per 4 persone

*4 pomodori grandi,
maturi e sodi*

2 costole di sedano

*4 fette di pane toscano
raffermo*

200 g di tonno sott'olio

4 filetti di acciuga sott'olio

100 g di gamberetti lessati

*50 g di cozze
sgusciate e cotte*

*50 g di vongole
sgusciate e cotte*

1 limone

1 mazzetto di prezzemolo

*4 cucchiai di olio
extravergine di oliva*

sale

pepe

Il vino
Accompagnate con il Candia
dei Colli Apuani bianco, vino
amatissimo da Giovanni Pascoli.

Lavate i pomodori e privateli della calotta con il picciolo (vi servirà per guarnire il piatto); svuotateli delicatamente, eliminate i semi e tritate grossolanamente la polpa, raccogliendo il succo in una ciotola.

Lavate il sedano e mondatelo eliminando i filamenti; tagliatelo a fettine sottili.

Sbriciolate grossolanamente il pane e mettetelo in una terrina con il sedano, la polpa di pomodoro, il tonno e le acciughe ben sgocciolati e sminuzzati, i gamberetti, le cozze e le vongole; aggiungete tre quarti del prezzemolo lavato e tritato e condite con l'olio, il succo dei pomodori, una presa di sale, un pizzico di pepe e il succo filtrato di mezzo limone. Mescolate bene e lasciate riposare in frigorifero per almeno 1 ora.

Farcite i pomodori con il composto preparato e distribuiteli nei piatti individuali, decorandoli con le foglie di prezzemolo, gli spicchi ricavati dal mezzo limone rimasto e le calotte dei pomodori conservate.

Il pomodoro è una pianta originaria dell'America del Sud, che gli Aztechi chiamavano "tomatl"; fu introdotto in Europa dagli Spagnoli, dopo la scoperta dell'America.

Al vapore
e lessate

Asparagi e uova bazzotte con salsa al vino bianco e primizie

Ingredienti per 4 persone

4 uova
500 g di asparagi
150 g di taccole
150 g di carotine mignon
150 g di piselli sgranati
1 cipollotto
30 g di burro
20 g di farina di tipo 00
3 dl di vino bianco secco
5 rametti di dragoncello
1 cucchiaio di panna liquida
sale
pepe

Mondate gli asparagi eliminando la parte bianca del gambo (vedi Scuola di cucina, p. 148); lavateli e lessateli per 10 minuti in acqua bollente salata. Lavate e mondate le carotine conservando una piccola parte del gambo. Mondate le taccole e scottatele per 2 minuti in acqua bollente aromatizzata con il cipollotto mondato; scolatele con un mestolo forato. Nella stessa acqua lessate le carotine e i piselli per 10 minuti.

Cuocete le uova in acqua bollente per 5 minuti dalla ripresa del bollore; raffreddatele sotto l'acqua corrente, sgusciatele e dividetele a metà. In una padellina antiaderente fate fondere il burro, stemperatevi la farina e unite il vino; cuocete la salsa a fiamma media per 7-8 minuti, mescolando continuamente. Salate, pepate, aggiungete la panna e le foglie di un rametto di dragoncello lavate e finemente tagliuzzate.

Distribuite le verdure sul fondo dei piatti individuali scaldati in precedenza, adagiate su ogni base di verdure le due metà di uovo, versate sopra la salsa, guarnite con i restanti rametti di dragoncello, spolverizzate di pepe e servite.

Il vino
Servite con un fresco e asciutto Ribolla Gialla, un delicato bianco da uve del Collio Goriziano.

Cipolle ripiene al vapore

Ingredienti per 4 persone
12 cipolle di media grandezza
500 g di carote
1 cucchiaio di latte
4 cucchiai di grana grattugiato
1 rametto di timo
alcune foglie di insalata
1 mazzetto di prezzemolo
2 cucchiai di olio extravergine di oliva
sale

Il vino
Accompagnate con un vino fermentato in bottiglia, gioioso e insolito: il modenese Lambrusco Grasparossa di Castelvetro semisecco. Servitelo a temperatura di cantina e stappatelo a tavola.

Mondate e sbucciate le cipolle, tagliate le calotte superiori e tenetele da parte; cuocete la base al vapore per circa 10 minuti, poi aggiungete le calotte e continuate la cottura per altri 5 minuti.

Lavate e raschiate le carote; lessatele per 10 minuti in poca acqua bollente leggermente salata. Scavate leggermente le cipolle ottenendo delle scodelline; tenete da parte la polpa ricavata. Tagliate le carote a tocchetti e frullatele insieme con il latte e qualche cucchiaiata di polpa delle cipolle. Mescolate la purea ottenuta con il grana, l'olio e le foglioline di timo lavate e asciugate; regolate di sale. Con il composto farcite le cipolle e richiudete con le calotte.

Mettete le cipolle farcite nel cestello per la cottura al vapore e cuocetele per altri 8-10 minuti.

Trasferite le cipolle ripiene in piatti individuali ovali, sulle foglie di insalata lavate e asciugate; decorate con i ciuffetti di prezzemolo e servite.

La cipolla è il bulbo di una pianta erbacea già coltivata dai Babilonesi più di 4000 anni fa: oggi è diffusa in tutto il mondo e viene utilizzata come aromatizzante nei condimenti, ma anche come verdura per consumo diretto, sia cotta sia cruda. Ne esistono moltissime varietà: le più pregiate sono quelle di Tropea e di Cannara.

Insalata di legumi con noci e pecorino al miele di castagno

Difficoltà: minima
Preparazione: 15 minuti
Cottura: 20 minuti

Ingredienti per 4 persone

250 g di piselli sgranati

250 g di taccole

1 cucchiaio e 1/2 di aceto balsamico

1 cucchiaio di miele di castagno

1/2 cucchiaino di senape

120 g di pecorino in scaglie

4 gherigli di noce

3 cucchiai di olio extravergine di oliva

sale

pepe

Il vino

Accompagnate con un Refosco dal Peduncolo Rosso invecchiato due anni, dei Colli Orientali del Friuli.

Mondate e lavate le taccole e cuocetele per 6-8 minuti. Lessate i piselli in abbondante acqua salata per circa 10 minuti dalla ripresa del bollore. Scolate i legumi e tagliate le taccole a tocchetti in diagonale.

In una ciotola preparate un'emulsione mescolando l'aceto balsamico, il miele, la senape, l'olio, una presa di sale e un pizzico di pepe.

Riunite le taccole e i piselli in una capace insalatiera e condite con la vinaigrette al miele. Distribuite l'insalata di legumi nei piatti individuali; cospargete ciascun piatto con scaglie di pecorino e un gheriglio di noce spezzettato grossolanamente e servite.

I piselli sono i semi di una pianta rampicante originaria del bacino del Mediterraneo e dell'Asia. Ne esistono molte varietà suddivise in due grandi categorie: da sgranare, ovvero con parte commestibile limitata al contenuto del baccello, e "mangiatutto", di cui si consuma anche il baccello (le taccole). Tra i legumi, piselli e taccole sono i meno calorici (solamente 70 kcal).

Difficoltà: minima
Preparazione: 10 minuti
Cottura: 30 minuti

Insalata tiepida di legumi e verdure di primavera

Ingredienti per 4 persone

300 g di piselli sgranati

300 g di fave sgranate

6 zucchine giovani

6 carote novelle

6 cipollotti

1 spicchio di aglio

1 mazzetto di basilico

2 cucchiai di aceto balsamico

4 cucchiai di olio extravergine di oliva

sale

Il vino

Servite con un classico Greco di Tufo, dal colore giallo paglierino e con profumi di fiori d'arancio, scorza d'agrumi e nocciola.

Lessate separatamente fave e piselli in poca acqua salata, rispettivamente per 20 e 10 minuti dalla ripresa del bollore; fate raffreddare entrambi i legumi nella loro acqua di cottura.

Mondate e lavate le altre verdure e tagliatele in quattro parti nel senso della lunghezza. Ponete nel cestello per la cottura al vapore carote e cipollotti e cuoceteli per circa 3 minuti; aggiungete le zucchine e continuate la cottura fino a quando tutte le verdure saranno cotte al dente. Scolatele delicatamente e tenetele da parte.

In una ciotola emulsionate l'olio con l'aceto balsamico e un pizzico di sale. Mondate, lavate e asciugate il basilico; spezzettatelo con le mani e tenete da parte qualche fogliolina intera per la decorazione dei piatti.

Scolate i legumi e trasferiteli in una capace insalatiera; aggiungete le verdure lessate tagliate a tocchetti e irrorate con l'emulsione di olio e aceto; cospargete con il basilico spezzettato e l'aglio sbucciato e tritato finemente. Mescolate, distribuite l'insalata nei piatti individuali, guarnite con le foglie di basilico intere e servite.

Difficoltà: media
Preparazione: 30 minuti
Cottura: 35 minuti

Involtini di lattuga con erbe e formaggi al vapore

Ingredienti per 4 persone

16 foglie di lattuga grandi

100 g di formaggio fresco cremoso

30 g di grana grattugiato

30 g di pecorino toscano grattugiato

150 g di misticanza di insalatine ed erbe selvatiche (tarassaco, cerfoglio, crescione, insalata riccia, ruchetta, finocchietto selvatico ecc.)

alcuni steli di erba cipollina

qualche ciuffo di aneto

1 costola di sedano piccola

1 carota piccola

1 cipollotto piccolo

2 dl di vino bianco secco

1 uovo

noce moscata

5 cucchiai di olio extravergine di oliva

sale

pepe nero in grani

Il vino

Servite con un Marzemino giovane, che esalta i sapori delicati del piatto.

Lavate le foglie di lattuga e cuocetele al vapore per 2 minuti; scolatele delicatamente e mettetele distese su un canovaccio pulito. Mondate e lavate la carota e il sedano; sbucciate il cipollotto. Tritate le verdure e fatele soffriggere brevemente in una padella antiaderente con tre cucchiai di olio. Mondate e lavate la misticanza di insalatine ed erbe selvatiche, tenendo da parte alcune foglie di insalata riccia per la decorazione. Tritatela finemente e unitela al soffritto. Mescolate e fate insaporire a fiamma media per 2 minuti.

Trasferite il tutto in una terrina, aggiungete il formaggio fresco, il grana e il pecorino grattugiati, l'uovo sbattuto; mescolate con cura per amalgamare tutti gli ingredienti, salate e profumate con una macinata di pepe. Distribuite il composto sulle foglie di lattuga, arrotolatele a involtino e fissatele con gli steli di erba cipollina lavati e scottati per 1 minuto in acqua bollente.

Versate 4 dl di acqua aromatizzata con il vino, un pizzico di noce moscata grattugiata e tre grani di pepe in una pentola e portate a ebollizione; inserite il cestello per la cottura al vapore, nel quale avrete adagiato gli involtini. Condite con un filo di olio, coprite e lasciate cuocere per 15 minuti a fuoco basso.

Prelevate delicatamente gli involtini con un mestolo forato, ponetene quattro su ogni piatto, guarnite con l'insalata riccia e i ciuffetti di aneto lavati e asciugati e servite.

Patate novelle con maionese piccante alle foglie di ravanello

Ingredienti per 4 persone

600 g di patate novelle piccole

1 mazzetto di ravanelli completi delle foglie

1 tuorlo

1/2 cucchiaio di senape piccante

1/2 limone

2 dl di olio extravergine di oliva

sale

pepe nero in grani

Il vino

Servite con un Riesling Renano dell'Alto Adige. Originario della valle del Reno e della Mosella, questo vitigno in Italia ottiene minore produttività ma altissima qualità.

Lavate le patate, immergetele in una pentola con abbondante acqua fredda salata e cuocetele per 25-30 minuti. Scolatele, pelatele e disponetele sul piatto da portata; insaporitele con una presa di sale e una generosa macinata di pepe.

Lavate le foglie di ravanello e scottatele in acqua bollente salata per un paio di minuti; scolatele, strizzatele bene e tritatele finemente, tenendo da parte alcune foglioline intere per la decorazione.

Spremete e filtrate il succo di mezzo limone. Sbattete il tuorlo, salate leggermente e incorporate poco a poco l'olio rimasto, versandolo a filo man mano che viene assorbito e mescolando continuamente con una frusta. Incorporate quindi con delicatezza il succo di limone, la senape e le foglie di ravanello tritate. Amalgamate bene fino a ottenere una salsa omogenea.

Condite le patate con la maionese piccante preparata; decorate il piatto con le foglioline conservate e con i ravanelli mondati, lavati, asciugati e tagliati a spicchi e servite.

Al tegame
e fritte

Bocconcini fritti
di patate e ortiche

Ingredienti per 4 persone

450 g di foglie di ortica

300 g di patate

3 uova

100 g di farina di tipo 00

1 spicchio di aglio

2 cucchiai di grana grattugiato

noce moscata

olio di semi di arachide per friggere

sale

pepe

Il vino

Accompagnate con un Esino Bianco fermo, DOC prodotto in tutta la provincia di Ancona e nella zona settentrionale del Maceratese con il 50% di uve verdicchio.

Mondate e lavate le ortiche e lessatele in abbondante acqua salata per circa 10 minuti. Scolatele, strizzatele bene e tritatele finemente con il mixer.

Lessate e pelate le patate; passatele allo schiacciapatate raccogliendo la purea ottenuta in una terrina. Aggiungete le ortiche, due uova intere e un tuorlo, il grana grattugiato, l'aglio sbucciato e tritato finemente e un pizzico di noce moscata grattugiata. Salate, profumate con pepe a piacere e amalgamate bene il composto.

In una padella scaldate abbondante olio per friggere. Con il composto formate delle polpettine della grandezza di un'albicocca, passatele nella farina setacciata e friggetele. Man mano che saranno pronte, prelevatele con una schiumarola e mettetele su un foglio di carta assorbente da cucina a perdere l'unto.

Servitele caldissime, distribuendole in quattro fogli di carta gialla per alimenti piegati a cono.

L'ortica, diffusissima e di umile origine, è una delle piante selvatiche più utilizzate sia a scopi alimentari sia curativi. Come alimento si impiegano le cime più tenere per la preparazione di minestre, ripieni e passati. Le radici, essiccate all'ombra e conservate in scatole o sacchetti, si raccolgono sul finire dell'estate e si usano per tisane e decotti.

Difficoltà: minima
Preparazione: 20 minuti
più il tempo di ammollo
Cottura: 1 ora e 10 minuti

Carciofi sardi
e cannellini stufati

Ingredienti per 4 persone

8 carciofi sardi piccoli
200 g di fagioli cannellini
2 spicchi di aglio
2 rametti di timo
1 cipolla
1 mazzetto di prezzemolo
1 limone
*4 cucchiai di olio
extravergine di oliva*
sale

Lasciate i fagioli in ammollo per una notte e scartate i legumi rimasti a galla; cuoceteli in abbondante acqua leggermente salata insieme con la cipolla mondata e tritata. A fine cottura scolateli, conservando qualche cucchiaio dell'acqua di cottura.

Mondate i carciofi eliminando le foglie esterne più dure, le spine e il fieno (vedi Scuola di cucina, p. 149). Divideteli in quattro spicchi e metteteli a bagno in abbondante acqua acidulata con il succo filtrato del limone per evitare che anneriscano.

In una padella antiaderente scaldate due cucchiai di olio e fate rosolare l'aglio sbucciato e schiacciato; eliminate l'aglio e aggiungete i carciofi, le foglioline di timo e un cucchiaio dell'acqua di cottura dei fagioli. Salate, coprite e lasciate cuocere a fiamma bassa per circa 15-20 minuti, finché i carciofi risulteranno morbidi ma ancora sodi.

Aggiungete i fagioli, mescolate e lasciate stufare per 3-4 minuti a fiamma bassa e recipiente coperto. Spolverizzate con il prezzemolo lavato e tritato finemente, irrorate con un filo di olio e distribuite nei piatti individuali. Lasciate riposare 5 minuti prima di servire.

Il vino
Accompagnate con un Rosso di Torgiano di 4 anni: incontrerete una struttura armonica ottenuta da viti di sangiovese e canaiolo.

Carote al miele e mandorle

Ingredienti per 4 persone

500 g di carote
1 cucchiaio di miele millefiori
1 cucchiaio di aceto di vino bianco
1 spicchio di aglio
1 cucchiaio di mandorle sfilettate
3 rametti di timo fresco
3 cucchiai di olio extravergine di oliva
sale

Il vino

Servite con il siciliano Grillo, un vitigno autoctono del Trapanese di antica tradizione, autorevole espressione tra le varietà isolane a bacca bianca.

Lavate e raschiate le carote; tagliatele a tocchetti che affetterete longitudinalmente, cercando di dare alle fettine la forma di tanti piccoli rombi. Lavate e asciugate il timo; sbucciate e schiacciate lo spicchio d'aglio. In una ciotola stemperate il miele con l'aceto.

In una casseruola scaldate l'olio insieme con l'aglio; aggiungete le carote, cospargete con le foglie di due rametti di timo e spruzzate con la miscela di aceto e miele. Salate, mescolate bene e lasciate cuocere per circa 15 minuti a fiamma bassa e a recipiente coperto.

A cottura ultimata, cospargete con le restanti foglioline di timo e le mandorle; distribuite nei piatti individuali e servite.

Il miele trova spazio non solo nella cucina, ma anche nella storia di molti popoli. In India aveva significati simbolici e veniva impiegato per preparare filtri d'amore.
Di miele si nutrivano gli dei dell'Olimpo greco, mentre i Sumeri lo impiegavano nel campo della cosmesi.
Gli Egizi praticavano l'apicoltura lungo il Nilo e furono i primi a utilizzare le arnie; i Romani, in epoca repubblicana e imperiale, presero a classificarlo in base ai luoghi di provenienza del polline.

Carotine e taccole con gomitoli di zucchero allo zenzero

Ingredienti per 4 persone

300 g di taccole

300 g di carotine mignon

2 rametti di maggiorana fresca

1 cucchiaino di zucchero di canna

4 cucchiai di zucchero bianco

30 g di burro

1 pezzetto di radice di zenzero fresco di 2,5 cm

sale

pepe

Mondate e lavate le taccole e tagliatele longitudinalmente; lavate e raschiate le carotine lasciando circa 2 cm di gambo. Portate a ebollizione abbondante acqua salata e cuocetevi le verdure per 2 minuti dalla ripresa del bollore; scolate e passate velocemente sotto l'acqua fredda per fermare la cottura.

In un tegame antiaderente fate sciogliere il burro; aggiungete le verdure e i rametti di maggiorana, lavati e legati tra loro con refe da cucina. Salate, pepate, cospargete con lo zucchero di canna e mescolate per fare insaporire. Cuocete per 20 minuti a fiamma media e recipiente coperto.

Pelate la radice di zenzero e ricavatene il succo con l'aiuto di uno spremiaglio, raccogliendolo in una ciotolina. Mettete lo zucchero bianco in un pentolino antiaderente, bagnate con il succo dello zenzero e fate caramellare; spegnete il fuoco e lasciate intiepidire. Appena il caramello inizierà a rapprendersi, formate i "fili" di zucchero immergendo e rialzando i rebbi di due forchette appoggiate l'una contro il dorso dell'altra. Formate quattro piccoli "gomitoli" di fili di zucchero e tenete da parte, a temperatura ambiente.

Quando le carotine e le taccole saranno cotte, eliminate la maggiorana e distribuite le verdure in quattro ciotoline individuali; adagiate sopra ciascuna un gomitolo di zucchero e servite subito.

Il vino
Accompagnate con un Gewürztraminer DOC, vino aromatico e floreale in cui si compongono odori di rosa, frutta secca, miele e vaniglia.

Frittelle di melanzane, tonno e caprini

Ingredienti per 4 persone

3 melanzane lunghe

160 g di tonno sott'olio

2 caprini

2 filetti di acciuga sott'olio

20 g di olive verdi snocciolate

100 g di farina tipo 00

1 uovo

1 cucchiaino di origano essiccato

2 cucchiai di olio extravergine di oliva

olio di semi di arachidi per friggere

alcune foglie di insalata riccia per la decorazione

sale

sale grosso

Il vino

Accompagnate con un Orvieto Classico, servito fresco in calici tulipano.

Spuntate e lavate le melanzane (vedi Scuola di cucina, p. 153); tagliatele nel senso della larghezza a fette spesse circa 7 mm; cospargetele di sale grosso e lasciatele per 1 ora in uno scolapasta per eliminare l'acqua amarognola di vegetazione.

In una ciotola amalgamate la farina con una presa di sale, due cucchiai di olio, l'origano e acqua sufficiente a ottenere una pastella vellutata e omogenea (ne occorrerà circa un bicchiere). Lasciate riposare l'impasto per mezz'ora, quindi incorporatevi il tuorlo e l'albume montato a neve.

Sgocciolate il tonno e i filetti di acciuga; tritateli insieme con le olive snocciolate e amalgamate al composto i caprini.

Tamponate delicatamente con carta assorbente da cucina le fette di melanzana. Distribuite il composto di tonno, acciughe e caprini su metà delle fette di melanzana e sovrapponetevi quelle rimaste, formando dei "sandwich". Pressateli bene e immergeteli nella pastella. Friggete le frittelline così preparate in abbondante olio bollente.

Man mano che le frittelle sono pronte, prelevatele con una schiumarola e mettetele su un foglio di carta assorbente da cucina a perdere l'unto. Servitele caldissime, decorando il piatto da portata con alcune foglie di insalata riccia.

Difficoltà: media
Preparazione: 20 minuti
Cottura: 25 minuti

Frittelle di spinaci allo yogurt

Ingredienti per 4 persone

6 uova

400 g di spinaci

125 g di farina semi-integrale biologica

1 mazzetto di prezzemolo

3 ciuffi di aneto fresco

1 ciuffo di coriandolo fresco

2 porri piccoli

200 g di yogurt greco bianco e intero

noce moscata

4 cucchiai di olio extravergine di oliva

sale

Il vino

Accompagnate con un Negroamaro, dagli odori di frutti rossi di bosco e prugna. Preferitelo adeguatamente invecchiato, scegliendo una bottiglia di 4 anni da stappare un'ora prima della degustazione.

Mondate, lavate e scolate gli spinaci, i porri e le erbe aromatiche. Tenendo da parte alcune foglioline di spinaci e due ciuffi di aneto per la decorazione dei piatti, tritate finemente il resto nel mixer. Scaldate il forno a 120 °C.

In una terrina sbattete le uova; unite la farina setacciata e il trito di verdure; salate, spolverizzate con un pizzico di noce moscata grattugiata e mescolate bene.

Ungete d'olio il fondo di una larga padella antiaderente e ponetela sul fuoco a fiamma viva. Quando sarà ben calda, versate il composto a cucchiaiate ben distanziate tra loro in modo da formare tante piccole frittelle schiacciate, che lascerete dorare a fiamma bassa da entrambi i lati. Man mano che saranno pronte, mettetele in una pirofila e tenetele in caldo all'interno del forno. Continuate in questo modo fino a esaurimento del composto, ungendo la padella di tanto in tanto.

Trasferite le frittelline su un capiente piatto da portata, decorando con l'aneto e le foglioline di spinaci. Portate in tavola accompagnando con lo yogurt greco servito in una ciotola e guarnito anch'esso con un ciuffetto di aneto.

Insalata di legumi, melanzane e pomodorini con pancetta

Ingredienti per 4 persone

500 g di fave sgranate

250 g di pisellini sgranati

1 melanzana lunga

50 g di pancetta affumicata

60 g di grana in scaglie

12 pomodorini ciliegia

1 mazzetto di rucola

1 spicchio di aglio

1 cucchiaio di aceto balsamico

9 cucchiai di olio extravergine di oliva

sale

pepe nero in grani

Il vino
Accompagnate con un EST! EST!! EST!!!, ottenuto da trebbiano toscano al 65%, malvasia bianca toscana al 20% e trebbiano giallo.

Lessate separatamente, in abbondante acqua salata, le fave e i pisellini, rispettivamente per 20 e 10 minuti dalla ripresa del bollore; scolateli e metteteli da parte.

In una padella antiaderente fate scaldare tre cucchiai di olio insieme con lo spicchio di aglio sbucciato e diviso a metà; aggiungete la pancetta tagliata a listarelle e la melanzana lavata, spuntata e ridotta a dadini sottili. Lasciate cuocere per circa 10 minuti a fiamma vivace, mescolando spesso; eliminato l'aglio, trasferite in una capace insalatiera e aggiungete le fave e i pisellini.

Preparate una vinaigrette emulsionando sei cucchiai di olio con uno di aceto balsamico, una presa di sale e una macinata di pepe. Condite l'insalata di legumi e melanzane con la vinaigrette, mescolate bene e lasciate marinare per 1 ora. Nel frattempo lavate e asciugate bene le foglie di rucola e sminuzzatele grossolanamente.

Poco prima di portare in tavola aggiungete all'insalata i pomodorini ciliegia mondati, lavati e tagliati a metà e cospargete con le scaglie di grana. Servite in piatti individuali adagiando l'insalata su un letto di foglie di rucola.

Difficoltà: minima
Preparazione: 20 minuti
Cottura: 35 minuti

Insalata di lenticchie e pomodorini al basilico

Ingredienti per 4 persone
400 g di lenticchie piccole
12 pomodorini ciliegia
1 mazzetto di basilico
1 cipollotto
6 cucchiai di olio extravergine di oliva
sale
pepe

Il vino
Accompagnate con un Grechetto Bianco umbro, da servire a 10-12 °C.

Lessate le lenticchie in abbondante acqua salata per 20-25 minuti e scolatele. Preparate un'emulsione con quattro cucchiai di olio, una presa di sale e una macinata di pepe. Mondate, lavate e asciugate il basilico; spezzettatene alcune foglie con le mani e tenete le altre da parte.

Mondate e lavate i pomodorini e tagliateli a metà nel senso della lunghezza; trasferiteli in una insalatiera e conditeli con l'emulsione preparata e qualche foglia di basilico spezzettata.

Mondate il cipollotto, affettatelo sottilmente e fatelo appassire in una padella antiaderente con due cucchiai di olio. Aggiungete le lenticchie, regolate di sale e di pepe e, mescolando bene per far insaporire, cuocete su fiamma media per 3-4 minuti.

Trasferite le lenticchie nell'insalatiera insieme con i pomodorini, aggiungete le foglie di basilico intere e mescolate delicatamente. Distribuite l'insalata nei piatti individuali e servite.

Mix di verdure
con salsa al curry

Ingredienti per 4 persone

16 asparagi

*4 costole
di un cuore di sedano*

1 cetriolo

100 g di fagiolini

1 finocchio

1 rametto di timo fresco

*1 cucchiaino di curry
in polvere*

1 spicchio di aglio

noce moscata

1 filoncino di pane bianco

*4 cucchiai di olio
extravergine di oliva*

sale

Il vino
Accompagnate con un Collio
Bianco, un raffinatissimo vino DOC
del Friuli-Venezia Giulia
gradevolmente fresco e giovane,
da servire tra 12 e 14 °C.

Spuntate e lavate i fagiolini; mondate gli asparagi tagliando con un coltello la parte terrosa dei gambi ed eliminando la pellicina esterna con l'aiuto di un pelapatate. Tagliate entrambi gli ortaggi a fettine in senso diagonale.

Portate a ebollizione abbondante acqua salata; scottate separatamente gli asparagi per 2 minuti e i fagiolini per 3 minuti. Scolate le verdure mantenendole separate, raffreddate sotto l'acqua corrente e mettetele ad asciugare su un canovaccio pulito.

Mondate e lavate il finocchio e il sedano e affettateli sottilmente. Pelate il cetriolo con un rigalimoni e tagliatelo a fette sottilissime. Suddividete tutte le verdure nei piatti individuali, tenendole separate.

Preparate la salsa: mettete in un pentolino quattro cucchiai di olio, una presa di sale, l'aglio pelato e schiacciato, il curry in polvere, le foglioline di timo e un pizzico di noce moscata grattugiata. Mescolate bene e fate scaldare a fiamma bassissima per 3-4 minuti.

Eliminate l'aglio, distribuite il condimento sulle verdure e servite in tavola accompagnando con fettine di pane.

Difficoltà: minima
Preparazione: 15 minuti
Cottura: 45 minuti

Patate novelle saltate alle erbe aromatiche

Ingredienti per 4 persone

*1 kg di patate
novelle piccole*

2 spicchi di aglio

3 rametti di timo

4 rametti di maggiorana

1 mazzetto di salvia

2 peperoncini rossi piccanti

*1/2 bicchiere di olio
extravergine di oliva*

sale

pepe

Il vino

Accompagnate con un Sangiovese
Superiore di Romagna. Preferite
un vino dell'anno, stappato
mezz'ora prima della degustazione
e servito a temperatura di cantina.

Lavate le patate novelle eliminando ogni traccia di terra con uno spazzolino e asciugatele.

Tritate finemente uno spicchio di aglio sbucciato insieme con le foglie lavate e asciugate di un mazzetto di salvia e due rametti di timo.

In una casseruola scaldate l'olio e rosolatevi un peperoncino spezzato a metà e l'altro spicchio di aglio sbucciato e schiacciato; eliminate aglio e peperoncino e aggiungete le patate. Fate rosolare a fiamma viva per qualche minuto; aggiungete il trito di aglio, salvia e timo e regolate di sale. Mescolate bene e lasciate cuocere a fiamma bassa per circa 40 minuti, rimestando di tanto in tanto.

A fine cottura, aggiungete le restanti foglioline di timo e l'altro peperoncino affettato finemente; distribuite le patate nei piatti individuali, pepatele leggermente, guarnite con un rametto di maggiorana e servite in tavola.

Le patate novelle hanno polpa di colore giallo intenso o paglierino, forma ovale o allungata e sapore deciso.
La polpa è acquosa e la buccia molto sottile.
Il nome deriva dal fatto che vengono raccolte a uno stadio di maturazione non completa. Tra le varietà più diffuse in Italia troviamo l'Aminca, l'Alcmaria, la Spunta e la Nicola.

Scarola stufata con julienne di zucchine

Difficoltà: minima
Preparazione: 15 minuti
Cottura: 8 minuti

Ingredienti per 2 persone

1 piccolo cespo di scarola

1 zucchina media

1 scalogno

1 cucchiaio di vino bianco secco

2 cucchiai di olio extravergine di oliva

sale

pepe bianco

Il vino

Accompagnate con un Müller Thurgau bianco dell'Alto Adige, DOC di colore giallo paglierino da servire a una temperatura di 10-12 °C.

Lavate la scarola, eliminate le foglie esterne più sciupate e tagliate le altre a strisce larghe circa 2 cm. Sbucciate lo scalogno e affettatelo sottilmente.

Fate appassire lo scalogno insieme con la scarola in una padella antiaderente con un cucchiaio di olio; salate, profumate con una macinata di pepe bianco e bagnate con il vino. Fate sfumare, mescolate bene e cuocete per 2 minuti a fiamma bassa. Spegnete il fuoco e tenete in caldo.

Spuntate e lavate le zucchine; asciugatele e riducetele a julienne. Conditele con un'emulsione preparata con l'olio rimasto, una presa di sale e una macinata di pepe.

Dividete la scarola in due ciotole individuali, distribuitevi sopra la julienne di zucchine e servite.

Apprezzata fin dall'antichità per le sue proprietà toniche, depurative e diuretiche, confermate anche dalla scienza moderna, la scarola ha un sapore leggermente amaro, foglie larghe, di forma ondulata, e margini ripiegati verso il centro. Al momento dell'acquisto si deve controllare che le foglie siano fresche, con margini integri; il cespo non deve essere umido. La scarola è molto indicata per le diete dimagranti; essendo ricca di potassio, è ottima anche in caso di ipertensione.

Stufato di scarola e peperoni all'uvetta e olive nere

Ingredienti per 4 persone

2 cespi di scarola

2 cipollotti

1 peperone rosso dolce

1 peperone giallo

2 costole di sedano

40 g di olive nere snocciolate

1 mazzetto di prezzemolo

olio extravergine di oliva

sale

pepe

Lavate i peperoni, eliminate il picciolo, i semi e i filamenti bianchi interni e tagliateli a listarelle; mondate, lavate e affettate il sedano; mondate e affettate a velo i cipollotti.

Ponete in una padella antiaderente il sedano e i cipollotti insieme con quattro cucchiai di olio e altrettanta acqua; coprite e fate appassire a fuoco medio. Dopo 7-8 minuti aggiungete i peperoni e rosolateli per 2 minuti a fuoco vivo; abbassate il fuoco, coprite e fate stufare per 15 minuti.

Mettete l'uvetta ad ammollare in una tazza di acqua tiepida; dopo circa 10 minuti lavatela sotto l'acqua corrente, scolatela e strizzatela bene.

Lavate la scarola, eliminate le foglie esterne più sciupate e scottate le altre in acqua bollente salata per 2-3 minuti; scolatele bene e mettetele ad asciugare su un canovaccio pulito, quindi tagliatele a strisce larghe 2 cm. Aggiungete la scarola e l'uvetta ai peperoni e continuate la cottura a fiamma media e recipiente scoperto per altri 10 minuti.

Tritate grossolanamente le olive e il prezzemolo mondato e lavato e con questo trito cospargete lo stufato di scarola e peperoni; salate, pepate e servite ben caldo.

Il vino
Accompagnate con il Frascati, il famoso bianco dei Castelli Romani, in versione secco.

Stufato di verdure miste alla salsa di soia

Difficoltà: minima
Preparazione: 30 minuti
Cottura: 30 minuti

Ingredienti per 4 persone

400 g di cavolini di Bruxelles

3 porri

1 peperone rosso dolce

40 g di pancetta tesa

1 bicchiere di brodo vegetale

1 cucchiaio di salsa di soia

40 g di grana grattugiato

30 g di burro

4 cucchiai di olio extravergine di oliva

sale

pepe nero in grani

Il vino

Accompagnate con un Merlot-Cabernet Sauvignon delle Venezie, un bordolese intenso e avvolgente.

Mondate e lavate i cavolini di Bruxelles; lessateli per 3 minuti in acqua bollente salata e scolateli; tagliatene alcuni a metà e metteteli da parte.

Mondate i porri e tagliateli a rondelle sottili in senso diagonale. Scaldate l'olio con il burro in una padella antiaderente e fatevi appassire i porri.

Lavate il peperone, eliminate il picciolo, i semi e i filamenti bianchi interni e riducetene metà a filetti. Tagliate a listarelle la pancetta e aggiungetela, insieme con i peperoni, ai porri. Lasciate imbiondire per 3 minuti a fuoco vivo, mescolando spesso con una paletta di legno; bagnate con mezzo bicchiere di brodo vegetale caldo e con la salsa di soia; coprite e fate stufare a fuoco lento per 7-8 minuti.

Aggiungete i cavolini interi e quelli tagliati a metà, salate e profumate con una macinata di pepe. Continuate la cottura per altri 15 minuti a fiamma bassa e recipiente coperto, aggiungendo altro brodo se il fondo di cottura dovesse asciugarsi troppo.

Spolverizzate con il grana grattugiato e mescolate delicatamente. Suddividete le verdure in pirofile individuali e servite.

Difficoltà: media
Preparazione: 30 minuti
più il tempo di riposo
Cottura: 1 ora e 20 minuti

Verdure speziate con frittelline d'orzo

Ingredienti per 4 persone

300 g di carote

200 g di fagiolini

300 g di patate

2 porri

200 g di polpa di zucca

1 cuore di sedano

3 chiodi di garofano

*1 cucchiaino
di zenzero in polvere*

*1 peperoncino rosso
piccante*

1 pezzetto di cannella

noce moscata

olio extravergine di oliva

sale

Per le frittelline d'orzo:

200 g di orzo perlato

2 uova

20 g di farina

20 g di grana grattugiato

1 cucchiaino di burro

sale

Il vino

Abbinate uno Chardonnay
pugliese, vino dai caratteristici
profumi di ananas e mele golden.

Lessate l'orzo in abbondante acqua salata per 20 minuti. Nel frattempo preparate una pastella con le uova, la farina, il grana e un pizzico di sale. Quando l'orzo sarà cotto, scolatelo bene e aggiungetelo alla pastella; mescolate e lasciate riposare per 30 minuti.

Mondate e lavate le verdure; tagliate a rondelle i porri e le carote e a tocchetti le patate, la zucca, i fagiolini e il sedano; fate insaporire il tutto per qualche minuto a fiamma vivace in una casseruola con tre cucchiai di olio. Salate, aggiungete le spezie e il peperoncino tagliato a metà in senso longitudinale, mescolate e bagnate con due bicchieri di acqua calda; portate a ebollizione e continuate la cottura a fuoco basso per 25-30 minuti, mescolando di tanto in tanto.

Ungete leggermente di burro una piccola padella antiaderente, scaldatela e versatevi tanta pastella con l'orzo quanto basta a coprire il fondo; fate cuocere la frittellina a fiamma media per qualche minuto, quindi giratela servendovi di una paletta e lasciatela cuocere finché sarà dorata. Preparate nello stesso modo le altre frittelline fino a esaurimento del composto. Man mano che le frittelline sono pronte, prelevatele con una schiumarola, mettetele su un foglio di carta assorbente da cucina a perdere l'unto in eccesso e tenetele in caldo.

Distribuite le verdure nei piatti individuali e servitele accompagnando con le frittelline d'orzo.

Zucca, rapa e cipolline alle erbe aromatiche e zenzero

Ingredienti per 4 persone

300 g di polpa di zucca

250 g di cipolline borettane

1 rapa di 200 g

1 rametto di rosmarino

5 foglioline di salvia

1 bicchiere di brodo vegetale

1 pezzetto di radice di zenzero di 3 cm

Worcestershire Sauce

6 cucchiai di olio extravergine di oliva

sale

pepe nero in grani

Il vino
Accompagnate con Lago di Caldaro dell'Alto Adige, un vino rosso di colore rubino, fruttato, di sapore leggero, con toni di mandorla amara.

Riducete a cubetti la polpa di zucca; sbucciate le cipolline borettane; mondate e affettate sottilmente la rapa.

In una larga padella antiaderente scaldate l'olio e fatevi soffriggere il rametto di rosmarino e le foglie di salvia ben lavati e asciugati. Dopo qualche istante aggiungete la zucca, salate, profumate con una macinata di pepe e lasciate rosolare a fiamma media per 4-5 minuti, mescolando spesso ma delicatamente.

Senza spegnere il fornello, prelevate i cubetti di zucca con un mestolo forato e trasferiteli in un piatto. Mettete nella padella le cipolline, bagnate con mezzo bicchiere di brodo vegetale caldo e fate cuocere a fiamma bassa per circa 10 minuti. Unite la rapa, regolate di sale e cuocete altri 10 minuti, sempre a fuoco basso, aggiungendo se necessario altro brodo caldo e mescolando di tanto in tanto.

Eliminate la salvia e il rosmarino, irrorate con due o tre spruzzi di Worcestershire Sauce e tre cucchiai di brodo caldo; cospargete con la radice di zenzero pelata e grattugiata e continuate la cottura per altri 7-8 minuti.

Spegnete e distribuite le verdure nei piatti individuali. Servite in tavola ben caldo.

Al forno

Asparagi al prosciutto di Praga

Ingredienti per 4 persone

12 grossi asparagi

12 fettine di prosciutto di Praga

4 dl di latte

20 g di farina

25 g di burro

30 g di grana grattugiato

1/2 cucchiaino di cumino in polvere

sale

Mondate gli asparagi eliminando la parte finale del gambo, legnosa, e lavateli accuratamente. Legateli a mazzetto con refe da cucina e metteteli in piedi in una pentola stretta e alta. Aggiungete l'acqua, lasciando scoperte le punte, e cuocete per 10-15 minuti. Regolate di sale.

Scaldate il latte in un pentolino e fate sciogliere in una casseruola 20 g di burro a fiamma bassissima; salate e incorporatevi la farina setacciata, mescolando continuamente con un cucchiaio di legno affinché non si formino grumi. Quando il composto si staccherà dalle pareti della casseruola, unite il latte bollente versandolo a filo e continuate a mescolare fino a ottenere una besciamella omogenea. Spegnete e, sempre mescolando, aggiungete il grana e il cumino in polvere.

Con il burro rimasto ungete il fondo di una pirofila ovale o rettangolare. Scolate bene gli asparagi e avvolgete ciascuno di essi in una fetta di prosciutto; adagiateli nella pirofila e versate un cucchiaio di besciamella sulla parte avvolta con il prosciutto. Cuocete in forno caldo a 180 °C per 10 minuti. Togliete dal forno e servite subito.

Il vino

Accompagnate con un Barbera d'Asti. Preferite una bottiglia tra i 4 e i 7 anni, apritela un'ora prima di servirla, versandola a 17-18 °C in ampi bicchieri.

Gratin di erbette alle noci

Ingredienti per 4 persone
400 g di erbette
40 g di gherigli di noce
2 dl di panna
30 g di grana grattugiato
2 uova
noce moscata
sale
pepe

Mondate le erbette eliminando accuratamente i filamenti; lavatele, scolatele bene e tagliatele in tre o quattro parti.

Sgusciate le uova, separate i tuorli dagli albumi e montate a neve fermissima questi ultimi. In una terrina riunite la panna, il grana, due terzi dei gherigli di noce grossolanamente tritati, una presa di sale, una macinata di pepe e un pizzico di noce moscata grattugiata; con delicatezza incorporate gli albumi.

Tenete da parte quattro cucchiaiate della salsa così ottenuta e amalgamate alla rimanente le erbette (tranne due pugni). Mescolate bene e distribuite il composto nelle pirofile individuali; versate sopra ciascuna di esse un cucchiaio di salsa, cospargete con i gherigli di noce tritati e le erbette tenute da parte e infornate per 10 minuti a 180 °C.

Trasferite le pirofile sotto il grill per 3 minuti, finché in superficie si sarà formata una crosticina dorata. Servite caldo.

Il vino
Servite con un grande vino veneto, il Cabernet Lison Pramaggiore. Affinato fino a 3 anni, raggiunge un sapore asciutto, pieno ed erbaceo.

La cucina popolare ha spesso preferito agli spinaci (che giunsero dalla Persia alla fine del Medioevo) le bietole, e la loro cultivar di dimensioni più modeste, le erbette. La bietola è una varietà di barbabietola da orto di cui si consumano sia le foglie sia le coste; le erbette, invece, mostrano una prevalenza di foglie e vengono consumate proprio come gli spinaci, ma hanno un sapore molto più delicato.

Difficoltà: media
Preparazione: 25 minuti
più il tempo di riposo
Cottura: 45 minuti

Pomodori misti al forno con aceto aromatizzato alle erbe

Ingredienti per 4 persone

4 pomodori ramati

4 pomodori perini

20 pomodori ciliegia

1 cucchiaio di zucchero

1 cucchiaio di pangrattato

2 spicchi di aglio

4 cucchiai di olio extravergine di oliva

sale

Per l'aceto aromatizzato alle erbe:

1 l di aceto di vino bianco

qualche stelo di erba cipollina

2 rametti di dragoncello

2 rametti di rosmarino

2 rametti di origano

2 rametti di timo

1 foglia di alloro

Almeno 15 giorni prima di utilizzarlo, preparate l'aceto alle erbe: versate 1 l di aceto bianco in una bottiglia di vetro; aggiungete tutte le erbe lavate e ben asciugate (i rametti e la foglia di alloro interi, gli steli di erba cipollina tagliuzzati), chiudete con un tappo di sughero e lasciate riposare in un luogo fresco e poco illuminato.

In una casseruola portate a ebollizione due litri di acqua. Lavate i pomodori mantenendo il picciolo; sbollentateli uno alla volta, scolateli e pelateli.

Ungete di olio il fondo di una pirofila non troppo grande e disponetevi i pomodori uno accanto all'altro; condite con un pizzico di sale, lo zucchero e l'olio. Distribuitevi sopra il pangrattato e l'aglio, sbucciato e tagliato a lamelle. Infornate a 140 °C e lasciate cuocere per 40 minuti.

Quando i pomodori saranno cotti, bagnate con tre cucchiai di aceto aromatizzato alle erbe e lasciate riposare in frigorifero per 24 ore prima di servire.

Teglia di patate
al profumo di salvia e timo

Ingredienti per 4 persone

700 g di patate
50 g di burro
4 cucchiai di pangrattato
2 foglie di salvia
4 rametti di timo
sale

Pelate e lavate le patate; asciugatele bene tamponando con carta assorbente da cucina e tagliatele a fette sottili.

Lavate e asciugate con delicatezza le foglioline di salvia e i rametti di timo; tritate finemente la salvia.

Scaldate il forno a 180 °C. Imburrate il fondo di una teglia di 22 cm di diametro, cospargetelo con un cucchiaio di pangrattato e disponetevi un primo strato di fettine di patate. Spolverizzate con un poco di salvia tritata, le foglioline di un rametto di timo e una presa di sale; distribuite sopra alcuni fiocchetti di burro. Continuate così fino a esaurimento delle patate, conservando un rametto di timo per la decorazione. Cospargete l'ultimo strato solo con alcuni fiocchetti di burro e infornate per circa 1 ora, finché le patate avranno assunto un bel colore dorato.

Togliete la teglia dal forno, cospargete la superficie delle patate con le restanti foglioline di timo e servite ben caldo.

Il vino

Servite con un Morellino di Scansano, ottimo DOC dai profumi di confettura di ciliegia e mirtillo ottenuto con un minimo di 85% di vitigno sangiovese.

La patata, originaria delle regioni andine dell'America del Sud, è coltivata da 2000 anni. Secondo alcune testimonianze, le prime patate raggiunsero l'Europa nel 1531. La leggenda vuole che, al ritorno da una lunga avventura marittima, sir Walter Raleigh portò il tubero in dono alla regina Elisabetta I. La patata, infatti, inizialmente venne coltivata a scopo ornamentale; solo dal XVIII secolo cominciò a essere utilizzata anche in cucina.

Tortino di bietole con crema di latte e foglie di malva

Ingredienti per 4 persone

800 g di bietole

200 g di panna liquida

4 tuorli

100 g di grana grattugiato

4 dl di latte

40 g di farina

50 g di burro

200 g di foglie di malva fresche

alcuni fiori secchi di malva per decorare

sale

pepe

Il vino
Accompagnate con un Merlot DOC Piave, che riesce a essere complesso e armonioso proponendo profumi di caffè e aromi di china.

Mondate e lavate le bietole (vedi Scuola di cucina, p. 149); lessatele in poca acqua bollente salata, scolatele e strizzatele bene. Frullatele, trasferite la purea ottenuta in una terrina e incorporatevi i tuorli e la panna. Insaporite con il grana grattugiato; regolate di sale e di pepe e mescolate con cura fino a ottenere un composto omogeneo.

Versate il preparato in uno stampo e cuocetelo a bagnomaria per 20 minuti nel forno già caldo a 180 °C.

Nel frattempo preparate la crema di latte alla malva: lavate e asciugate le foglie di malva tamponandole delicatamente con un canovaccio pulito. Mettetele in un pentolino insieme al latte e fate bollire per 5 minuti. Lavorate burro e farina in una ciotola fino a ottenere un composto omogeneo e aggiungetelo al latte caldo; mescolando continuamente, fate cuocere la salsa per 10 minuti, frullatela con un frullatore a immersione e tenetela in caldo.

Sformate il tortino e tagliatelo a spicchi. Distribuite le fette nei piatti individuali e irroratele con la crema di latte alla malva. Decorate i piatti con qualche fiore secco di malva e servite presentando la salsa rimasta a parte.

Tortino di semolino e zucchine

Ingredienti per 4 persone

5 zucchine medie

150 g di semolino

5 dl di latte

2 uova

100 g di pancetta

50 g di grana grattugiato

1 mazzetto di basilico

60 g di burro

noce moscata

2 cucchiai di olio extravergine di oliva

sale

pepe

Spuntate e lavate le zucchine (vedi Scuola di cucina, p. 158); tagliatene quattro a dadini e una a rondelle sottili. Scaldate l'olio in una padella antiaderente e cuocetevi a fuoco vivace i dadini di zucchina, mescolando spesso. Quando risulteranno croccanti, prelevateli con un mestolo forato e trasferiteli in una terrina; salate e lasciate intiepidire. Tagliate la pancetta a dadini molto piccoli e fatela rosolare in una padellina antiaderente; scolatela con una schiumarola e aggiungetela alle zucchine già cotte.

In una casseruola portate il latte a ebollizione; versatevi il semolino a pioggia e lasciate cuocere per 20 minuti, mescolando continuamente; togliete dal fuoco e incorporatevi 50 g di burro. Salate, pepate e lasciate intiepidire. Imburrate una pirofila antiaderente della capacità di 1 litro e 1/2 e foderatene il fondo e parte delle pareti con le rondelle di zucchina: disponetele sul fondo a cerchi concentrici, in modo che si sovrappongano leggermente una all'altra.

Mondate e lavate il basilico; tritatelo finemente, tenendo da parte alcune foglie per la decorazione. Sgusciate le uova e sbattetele leggermente; incorporatele nel semolino insieme con il grana, le zucchine e la pancetta. Aggiungete il basilico tritato e un pizzico di noce moscata grattugiata; mescolate e versate il composto nella pirofila. Infornate e cuocete a 180 °C per 30 minuti. Togliete il tortino dal forno e trasferitelo sul piatto da portata. Servitelo tiepido, guarnito con le foglie di basilico.

Il vino
Servite con un Lagrein Gries a 16-18 °C, un vino rosso vellutato con un gradevole profumo di viole, dal sapore pieno.

Tortino gratinato di zucca e verza al grana

Ingredienti per 4 persone

400 g di polpa di zucca

1 verza piccola

1,5 dl di latte

1 dl di panna

2 cucchiai di maizena

2 uova

30 g di burro

4 cucchiai di grana grattugiato

sale

pepe

Lavate la verza e prelevatene le foglie esterne verdi; scottatele in abbondante acqua bollente salata per 2 minuti, scolatele e mettetele ad asciugare ben distese su un canovaccio pulito.

Tagliate a listarelle la verza rimasta e scottate anch'essa in acqua bollente salata; scolate e strizzate bene.

Tagliate la polpa di zucca a dadini di dimensioni regolari.

In una casseruola portate il latte a ebollizione; aggiungete la zucca, salate, pepate e fatela cuocere per 10 minuti, finché risulterà tenera. Versate la panna in una ciotola e stemperatevi la maizena. Frullate il composto di latte e zucca, incorporatevi la salsa di panna e maizena e le uova sbattute, mescolando delicatamente.

Imburrate una teglia di 22-24 cm di diametro e foderatela con le foglie di verza intere, facendole fuoriuscire leggermente dal bordo. Versate sulle foglie metà della crema di zucca, distribuitevi sopra le listarelle di verza e ricoprite con la crema rimasta. Cospargete con il grana grattugiato e con il burro rimasto, a fiocchetti; infornate per circa 20 minuti a 200 °C, finché la superficie del tortino avrà assunto un bel colore dorato. Servite caldo.

Il vino

Servite con il Grignolino del Monferrato Casalese. L'etimo di questo vino è incerto: probabilmente deriva dal dialettale "grignare" che, in astigiano, significa "ridere".

Zucchine al gratin

Ingredienti per 4 persone

4 zucchine medie

1 mazzetto di prezzemolo

2 cucchiai di pangrattato

*5 cucchiai di olio
extravergine di oliva*

sale

pepe

Mondate e lavate il prezzemolo; tritatene finemente la maggior parte, conservando alcune foglie intere per la decorazione. Ungete il fondo di una pirofila con un cucchiaio di olio e scaldate il forno a 170 °C.

Spuntate e lavate le zucchine, tagliatele a metà longitudinalmente e scavatele all'interno facendo attenzione a non romperle. Tritate grossolanamente la polpa; raccoglietela in una terrina, aggiungete il pangrattato, il prezzemolo tritato, una presa di sale e una macinata di pepe e mescolate accuratamente.

Farcite le zucchine con il composto così ottenuto e adagiatele sul fondo della pirofila; irrorate con il rimanente olio versato a filo e infornate. Cuocete per circa 40 minuti.

Togliete la pirofila dal forno e servite le zucchine ben calde, decorate con le foglie di prezzemolo intere.

Il vino

Servite con un Trebbiano d'Abruzzo affinato in botti di rovere. La generosità delle viti d'Abruzzo fu cantata da Ovidio.

Esistono diverse varietà di zucchine: la "Striata d'Italia", allungata e con evidenti striature; la "Verde di Milano", lunga e con polpa ben soda, di colore più uniforme; la "Faentina", a forma di clava e di colore chiaro. Il periodo migliore per gustarle va da maggio a settembre.

Preparazioni miste

Difficoltà: media
Preparazione: 25 minuti
Cottura: 50 minuti

Crema di patate, finocchio e cipolle con salmone e scalogni

Ingredienti per 4 persone

800 g di patate

1 finocchio

2 cipolle bionde

2 dl di latte

100 g di yogurt bianco

4 fette di salmone affumicato

4 scalogni

1 cucchiaino di zucchero

1 rametto di aneto

30 g di burro

sale

pepe

Mondate gli scalogni e affettateli sottilmente. Fateli appassire in un tegame antiaderente, in cui avrete sciolto 20 g di burro, per 5-6 minuti a fiamma media; aggiungete lo zucchero, fate caramellare e tenete in caldo. Lavate e pelate le patate; riducetele a tocchetti di dimensioni regolari e cuocetele al vapore per 25 minuti.

Nel frattempo mondate e lavate il finocchio e sbucciate le cipolle; tagliate entrambi gli ingredienti a pezzetti e poneteli in una casseruola con 10 g di burro, un mestolo di acqua bollente e una presa di sale. Lasciate stufare per 20 minuti a fiamma bassa e recipiente coperto.

Frullate nel mixer le cipolle con il finocchio, il latte, lo yogurt, un pizzico di sale e una macinata di pepe, in modo da ottenere una crema omogenea. Passate le patate allo schiacciapatate, raccogliendo la purea in una ciotola; unite il composto frullato versandolo a filo e mescolando continuamente con una frusta.

Suddividete la crema così ottenuta nei piatti individuali e adagiate sopra ciascuno una fetta di salmone affumicato e un'abbondante cucchiaiata di scalogni caramellati; cospargete con l'aneto tritato, decorate con un ciuffetto di aneto intero e servite.

Il vino

Accompagnate con un Sauvignon dell'Alto Adige, vino dall'intensa gamma di profumi quali il fico, la foglia di pomodoro e il peperone.

Fagottini di verza e patate ai funghi

Ingredienti per 4 persone

8 grandi foglie di verza

3 patate medie

2 dl di latte

50 g di burro

500 g di funghi champignon

1 spicchio di aglio

1 mazzetto di prezzemolo

3 cucchiai di olio extravergine di oliva

sale

pepe

Lavate le patate e lessatele in acqua bollente; pelatele e passatele allo schiacciapatate, raccogliendo il passato in una casseruola. Aggiungete il latte e 30 g di burro; salate, pepate e fate addensare su fiamma bassa, mescolando continuamente. Quando il purè sarà pronto, spegnete e lasciate raffreddare. Lavate le foglie di verza e scottatele in acqua bollente salata; scolatele e adagiatele delicatamente, ben distese, su un canovaccio pulito.

Mondate i funghi eliminando la parte finale dei gambi, puliteli accuratamente con uno straccetto umido per privarli di ogni impurità e affettateli sottilmente. Sbucciate e schiacciate l'aglio e fatelo rosolare in una padella antiaderente insieme con l'olio; aggiungete i funghi e cuocete per 10 minuti a fiamma media, mescolando spesso. A fine cottura salate e spolverizzate con il prezzemolo mondato, lavato e tritato finemente.

Mescolate la metà dei funghi al purè di patate e distribuite il composto sulle foglie di verza; arrotolate formando degli involtini che chiuderete con refe da cucina. Foderate una teglia con carta da forno e disponetevi gli involtini. Cospargete con il restante burro ridotto a fiocchetti e cuocete a 180 °C per 15 minuti. Togliete gli involtini dal forno, eliminate il refe e distribuiteli nei piatti individuali, accompagnandoli con i restanti funghi trifolati. Servite caldo.

Il vino

Accompagnate con un Pinot Nero dell'Alto Adige di 4 anni. Stappatelo due ore prima della degustazione e servitelo a 18-20 °C in ampi bicchieri.

Mousse verde con fili di zucchina croccanti e grana

Ingredienti per 6 persone

350 g di zucchine
200 g di patate
3 porri piccoli
1 rametto di maggiorana
20 g di burro
20 g di farina
1,5 dl di latte
100 g di grana
50 g di gherigli di noce
alcune foglioline di basilico
olio di semi di arachidi
per friggere
sale
pepe

Spuntate e lavate le zucchine; con il rigalimoni prelevatene la buccia e tenetela da parte. Lavate e sbucciate le patate; mondate i porri eliminando la parte verde. Portate a ebollizione 0,75 l di acqua salata insieme alle foglioline di maggiorana e lessate tutte le verdure, affettate sottilmente, per 25 minuti dalla ripresa del bollore, conservando il liquido di cottura. Preparate la besciamella: scaldate il latte in un pentolino; in una casseruola sciogliete il burro, aggiungete la farina setacciata e unitevi il latte bollente, versandolo a filo poco per volta. Cuocete per 10 minuti mescolando continuamente e salate solo a fine cottura.

In una piccola padella scaldate l'olio di semi; quando sarà bollente, friggete velocemente i fili di buccia di zucchina; prelevateli con una schiumarola e metteteli su un foglio di carta assorbente da cucina a perdere l'unto. Grattugiate finemente metà del grana e riducete il rimanente a bastoncini sottili, utilizzando l'apposita sezione a fori ampi della grattugia. Tritate molto finemente i gherigli di noce.

Trasferite le verdure cotte nel bicchiere del frullatore insieme con il liquido di cottura e la besciamella e frullate alla massima velocità fino a ottenere una crema omogenea; incorporate il grana grattugiato, regolate di sale e di pepe e distribuite la mousse nelle coppette individuali. Adagiate sopra ogni porzione i fili di zucchina fritti e i bastoncini di grana; spolverizzate con i gherigli di noce tritati, decorate con alcune foglie di basilico e servite.

Il vino
Servite con un fresco Cortese di Gavi, che in questa zona del Piemonte raggiunge l'eccellenza.

Sformatini di sedano rapa, patate e porcini

Ingredienti per 6 persone

400 g di sedano rapa

2 patate grosse

400 g di funghi porcini

1,5 dl di panna

2 uova

1 cuore di sedano verde

100 g di toma piemontese

1 spicchio di aglio

4 rametti di timo

2 limoni

10 g di burro

noce moscata

2 cucchiai di olio extravergine di oliva

sale

pepe

Sbucciate il sedano rapa; tagliatelo a fettine di circa 3-4 mm di spessore e immergetelo in acqua acidulata con il succo filtrato di un limone. Lavate e pelate le patate; tagliatele a fettine sottili. Cuocete separatamente al vapore il sedano rapa per 5-6 minuti e le patate per 10 minuti.

Mondate i funghi porcini eliminando la parte finale del gambo e puliteli accuratamente con uno straccetto umido per eliminare ogni impurità; tagliatene 300 g a fettine e fateli saltare per 5 minuti in una padella antiaderente con il burro, l'aglio sbucciato e schiacciato e le foglioline di timo lavate e asciugate. Mescolate spesso.

Private la toma della crosta; tagliatela a tocchetti e frullatela nel mixer con le uova, la panna, un pizzico di noce moscata grattugiata e una presa di sale. Rivestite con carta da forno 4 stampini rotondi del diametro di circa 10 cm e foderatene le pareti e il fondo con le fettine di sedano rapa e di patate; versatevi all'interno la crema al formaggio e fate cuocere per 25-30 minuti a 200 °C.

Mondate e lavate il cuore di sedano; tagliatelo a fettine sottilissime insieme con i porcini rimasti; riunite il tutto in un'insalatiera e condite con un'emulsione preparata con succo filtrato del secondo limone, olio, sale e pepe.

Sformate i tortini sui piatti individuali, adagiate sopra ciascuno un cucchiaio di insalata di porcini e sedano e servite.

Il vino

Servite con un Dolcetto d'Alba, preferendone uno prodotto nei comuni di Treiso, La Morra, Barolo o Monforte.

Teglia di verdure e uova con frittelle di ceci

Ingredienti per 4 persone

1 cipolla rossa

300 g di peperoncini verdi dolci

300 g di melanzane lunghe

250 g di pomodori maturi

100 g di fagiolini

200 g di zucchine

1 spicchio di aglio

4 uova

paprica dolce

4 cucchiai di olio extravergine di oliva

sale

pepe

Per le frittelle:

250 g di farina di ceci

1 cucchiaino di olio extravergine di oliva

sale

pepe

Il vino
Servite con un Merlot del Lazio,
preferendo una giovane bottiglia
a temperatura di cantina.

Preparate la pastella per le frittelle: stemperate in una terrina la farina di ceci con 4 dl di acqua; salate, pepate e mescolate bene. Lasciate riposare per 30 minuti. Nel frattempo mondate e lavate tutte le verdure, tranne la cipolla e l'aglio, e tagliatele a tocchetti. Mondate e sbucciate la cipolla e tritatela insieme con l'aglio sbucciato; fate appassire entrambi a fiamma bassa con quattro cucchiai di olio in una pirofila adatta alla cottura in forno. Aggiungete le verdure, salate e cuocete a fuoco medio per 20 minuti.

Praticate quattro fossette nella verdura e sgusciate un uovo in ciascuna di esse; coprite con alluminio e infornate a 220 °C per 30 minuti.

Cuocete le frittelle: in una piccola padella antiaderente scaldate un cucchiaino di olio; versate un mestolino di pastella e cuocete la frittella per 2-3 minuti da entrambi i lati, rigirandola con l'aiuto di una paletta. Preparate nello stesso modo altre sette frittelle e tenetele in caldo.

Togliete la teglia dal forno, spolverizzate le verdure con una macinata di pepe e un poco di paprica dolce. Servite in tavola direttamente nella pirofila, accompagnando con le frittelline di ceci.

Ricette
dal mondo

Cipolle ripiene Belgio

Ingredienti per 4 persone

12 cipolle grosse
200 g di salsiccia spellata
200 g di carne di maiale macinata fine
3 cucchiai di pangrattato
50 g di burro
1 bicchiere di birra scura
1/2 cavolo verza
sale
pepe

Mondate e lavate il cavolo verza. Sbucciate le cipolle e tagliatele a metà trasversalmente; cuocetele per 3 minuti in abbondante acqua bollente salata, scolatele e fatele raffreddare sotto l'acqua corrente. Svuotate le cipolle in modo da ottenere ventiquattro ciotoline.

Fate sciogliere metà del burro in una capace padella. Tritate la polpa scavata dalle cipolle e rosolatela nel burro; unite la carne di maiale e la salsiccia sbriciolata con le mani; mescolate spesso in modo da soffriggere uniformemente tutti gli ingredienti. Aggiungete il pangrattato, regolate di sale e di pepe, bagnate con mezzo bicchiere di birra scura e fate cuocere per altri 5 minuti a fuoco moderato. Con la farcia ottenuta riempite le "coppette" di cipolla e disponetele in una pirofila imburrata; bagnate con la birra rimasta e cuocete in forno a 170 °C per 45 minuti.

Suddividete le cipolle ripiene nei piatti individuali e servite accompagnandole con il cavolo verza tagliato a striscioline sottilissime.

La cucina belga non è molto conosciuta, ma offre piatti originali e gustosi come queste cipolle ripiene, che riescono ad alleggerire il gusto della carne di maiale grazie a una pastosa birra scura.

Curry vegetale
con anacardi Sri Lanka

Ingredienti per 6 persone

*600 g di verdure di stagione
(fagiolini, carote, patate,
zucchine ecc.)*

1 cipolla

2 spicchi di aglio

200 g di anacardi

*1 cucchiaino di coriandolo
in polvere*

*1 cucchiaino di zafferano
in polvere*

*1 cucchiaino di curcuma
in polvere*

*1/2 cucchiaino
di peperoncino in polvere*

*1/2 cucchiaino di cumino
in polvere*

*1/2 cucchiaino di zenzero
in polvere*

1 bicchiere di latte di cocco

*3 cucchiai di olio
di semi di soia*

sale

In una casseruola fate soffriggere in due cucchiai di olio la cipolla e l'aglio dopo averli sbucciati e tritati finemente; aggiungete una alla volta le spezie, compreso il peperoncino e, per ultimi, gli anacardi interi, sgusciati e privati della pellicina interna. Mescolate e fate cuocere a fuoco bassissimo per 5 minuti.

Mondate e lavate tutte le verdure; asciugatele con un canovaccio pulito e riducetele a cubetti di eguale dimensione. Saltatele per pochi minuti in una larga padella con l'olio rimasto.

Trasferite la dadolata di verdure nella casseruola insieme agli anacardi speziati, regolate di sale e bagnate con il latte di cocco. Mescolate con cura per far insaporire e cuocete a fuoco molto basso per circa 15 minuti; servite caldissimo.

La cucina indiana comprende le numerosissime preparazioni del vasto subcontinente indiano (India, Pakistan, Bangla Desh e Sri Lanka), che variano in misura più o meno consistente secondo l'area geografica di appartenenza. Questo curry agli anacardi è una variante tropicale del classico curry di verdure che, con differenze a volte impercettibili al palato occidentale, figura nel menu di migliaia di ristoranti, da Peshawar a Calcutta.

Difficoltà: minima
Preparazione: 10 minuti
Cottura: 10 minuti

Fave all'aneto Armenia

Ingredienti per 6 persone
800 g di fave freschissime
2 cipolle bianche
1 cucchiaio di burro
1 tazza di yogurt intero
1 mazzetto di aneto
sale

Sgranate e sguisciate le fave; fatele rosolare in una casseruola con il burro insieme con le cipolle sbucciate e tritate finemente. Regolate di sale e cuocete a fuoco dolce per una decina di minuti, aggiungendo di tanto in tanto qualche cucchiaiata d'acqua calda in modo che le verdure non si attacchino sul fondo.

Mescolate lo yogurt con un pizzico di sale e l'aneto mondato, lavato e sminuzzato.

Suddividete le fave nei piatti individuali, versate a lato di ciascuna porzione due o tre cucchiai di yogurt salato, decorate con ciuffetti di aneto e servite.

Le fave da orto sono i semi di una pianta a fusto eretto che cresce in tutto il bacino del Mediterraneo. Sono contenute in un baccello lineare e, se fresche, hanno colore verde; secche invece sono brune e molto dure.
Le fave, nel nostro Paese, sono molto diffuse al Sud e possono essere consumate sia fresche (senza ammollo) sia secche (dopo un ammollo di circa 12-24 ore). Come tutti i legumi, le fave forniscono una buona dose di proteine, sali minerali e vitamine.

Gadò gadò Indonesia

Ingredienti per 6 persone

6 patate

6 zucchine

1 kg di bietole

500 g di fagiolini

1/2 cavolo verza

500 g di arachidi

1/2 limone

olio di semi

sale

Mondate e lavate tutte le verdure. Cuocetele separatamente al vapore, tenendole al dente. Tagliate a pezzetti le patate e le zucchine, a metà i fagiolini e a listarelle le verze; spezzettate con le mani le bietole. Trasferite tutte le verdure in un capiente piatto da portata.

Sgusciate le arachidi e privatele della pellicina interna, tenendone da parte alcune intere per la decorazione dei piatti. Tostatele brevemente in una padella con un cucchiaio di olio. Prelevatele con un cucchiaio forato, mettetele nel mixer e tritatele finemente.

Trasferite il trito di arachidi in una ciotola; aggiungete un filo di olio, una presa di sale e il succo di mezzo limone filtrato; mescolate fino a ottenere una salsa cremosa e omogenea.

Suddividete le verdure nei piatti individuali e versatevi sopra un cucchiaio di salsa di arachidi. Guarnite con qualche nocciolina divisa a metà e servite accompagnando con la salsa rimasta, a parte.

La cucina dell'Indonesia è caratterizzata da piatti estremamente fantasiosi a base di ortaggi e di carni (esclusa quella di maiale, trattandosi di uno stato musulmano). Il gadò gadò rappresenta uno dei modi più appetitosi per gustare le verdure che, cotte al vapore, mantengono intatti sapore e fragranza.

Ortaggi in umido con mais Guatemala

Difficoltà: minima
Preparazione: 20 minuti
Cottura: 30 minuti

Ingredienti per 6 persone

400 g di zucchine

400 g di piselli freschi

2 pannocchie sgranate

100 g di pancetta affumicata a dadini

4 pomodori maturi

2 peperoni gialli

2 cipolle

4 patate

2 spicchi di aglio

1 mazzetto di prezzemolo

1 cucchiaino di origano essiccato

1 cucchiaio di concentrato di pomodoro

olio di oliva

sale

pepe

Mondate, lavate e asciugate i pomodori; tagliateli a metà ed eliminate i semi interni. Mondate e lavate anche le zucchine e i peperoni e asciugateli con un canovaccio pulito. Lavate le patate e cuocetele in abbondante acqua bollente per 5-6 minuti; scolatele e pelatele. Riducete tutti gli ortaggi a dadini di eguale dimensione.

Mondate, lavate e asciugate il prezzemolo; tritatelo finemente, conservandone alcune foglie per la decorazione.

Soffriggete la pancetta in una padella con un cucchiaio d'olio insieme con le cipolle e l'aglio sbucciati e tritati finemente; quando il soffritto comincerà a imbiondire, aggiungete la dadolata di verdure, il mais e i piselli sgranati. Bagnate con mezzo bicchiere di acqua aromatizzata con un cucchiaino di origano essiccato; unite il concentrato di pomodoro, salate, pepate e cuocete per circa 15 minuti.

Trasferite le verdure nei piatti individuali e spolverizzatele con il prezzemolo tritato. Servite dopo aver guarnito i piatti con le foglioline di prezzemolo tenute da parte.

Pare che la coltivazione del mais sia cominciata nell'America Centrale 7500 anni fa e che dal Nuovo Messico, dove è stata trovata la qualità più antica, si sia poi estesa fino al Nord.
In Europa il mais fu portato da Cristoforo Colombo, ma all'inizio era coltivato solo in alcune zone dell'Andalusia, della Francia e dell'Italia.

Stufato di igname
con plantans Kenia

Ingredienti per 6 persone

*1 igname di media
grandezza*

4 carote

*3 plantans
(plantani o banane verdi)*

2 cipolle

1 cucchiaino di curry

olio di semi di arachidi

sale

Lavate l'igname, sbucciatelo e tagliatelo a cubetti. Mondate e lavate le carote, raschiatele e riducetene tre a rondelle e una a julienne. Sbucciate le cipolle, tritatele finemente e fatele rosolare in una padella con un cucchiaio di olio. Aggiungete il curry, le carote a rondelle e l'igname e fate soffriggere il tutto per 5 minuti. Bagnate con mezzo bicchiere di acqua e proseguite la cottura a fuoco dolce per altri 10 minuti.

Sbucciate i plantani, spuntateli e tagliateli a rondelle non troppo sottili; friggeteli in abbondante olio, prelevateli con una schiumarola e metteteli su un foglio di carta assorbente da cucina a perdere l'unto.

Servite lo stufato di igname e carote al curry, con contorno di plantani fritti, in piatti individuali guarniti con i bastoncini di carota.

L'igname, tubero amidaceo che conta moltissime varietà, e i "plantans" (plantani o banane verdi) sono alimenti assai usati in vastissime aree dell'Africa subsahariana, abbinati di norma a verdure o carni.

Difficoltà: minima
Preparazione: 15 minuti
Cottura: 25 minuti

Verdure al latte
di cocco Uganda

Ingredienti per 6 persone

1 cipolla
300 g di cavolo verza
300 g di spinaci
300 g di zucchine
100 g di polpa di zucca
1 peperone rosso
3 dl di latte di cocco
*2 cucchiai di olio di semi
di arachidi*
sale

Sbucciate la cipolla e tagliatela ad anelli. Mondate e lavate il cavolo, scolatelo e riducetelo a listarelle sottili. Lavate e asciugate bene gli spinaci e spezzettatene le foglie con le mani. Lavate anche le zucchine, spuntatele e tagliatele a rondelle. Riducete a dadini molto piccoli la polpa di zucca. Mondate e lavate il peperone, eliminate i semi e i filamenti bianchi interni e dividetelo a falde, quindi a striscioline sottili.

Scaldate l'olio in una padella antiaderente e fatevi soffriggere gli anelli di cipolla; aggiungete la verza, gli spinaci, le zucchine e la zucca. Mescolate bene per far insaporire, regolate di sale e coprite le verdure con il latte di cocco. Cuocete a fuoco dolce per circa 15 minuti.

Prelevate le verdure con un cucchiaio forato, distribuitele nei piatti individuali e servitele irrorate con un po' di liquido di cottura. Guarnite con le striscioline di peperone tagliato a striscioline sottili e servite subito.

> Il latte di cocco si trova in vendita nei negozi di specialità orientali in due versioni, quella leggera e quella densa.
> In genere per le ricette salate è preferibile la versione leggera. Per prepararlo in casa, basta grattugiare la polpa di noce di cocco fresca e coprirla con acqua calda. Quando l'acqua si sarà completamente raffreddata, sarà sufficiente filtrare con un telo di cotone, strizzando bene per estrarre tutto il latte.

Ricette
d'autore

François Pierre de La Varenne

Pellegrino Artusi

Paolo Teverini

Valeria Piccini

Anna Parisi

Ferran Adriá

Gennaro Esposito

Alfonso Iaccarino

Davide Palluda

Carlo Cracco

Marco Cavallucci

François Pierre de La Varenne | Asparagi con la salsa

Ingredienti per 4 persone
1 mazzo di asparagi
1 tuorlo
1 cucchiaio e 1/2 di aceto di vino bianco
1 pizzico di noce moscata
60 g di burro
sale

Il vino
Servite con un Friuli Grave Sauvignon, dal profumo fresco, armonico e asciutto.

Lavate bene gli asparagi e tagliate la parte finale del gambo, facendo in modo che risultino tutti della stessa lunghezza. Legateli insieme con uno spago formando due mazzi e poneteli in qualche centimetro di acqua bollente salata. Coprite e cuocete a fuoco basso per 10 minuti.

Prelevate gli asparagi dalla pentola e asciugateli; togliete lo spago con il quale erano legati e teneteli in caldo.

Preparate la salsa: in una capace casseruola mescolate il tuorlo, l'aceto, il sale, la noce moscata e una noce di burro. Cuocete a fuoco basso mescolando lentamente. Aggiungete al composto la parte restante del burro a fiocchetti, in modo che la salsa diventi cremosa. Regolate di sale e versate in una salsiera.

Disponete gli asparagi sul piatto da portata e versatevi sopra un po' di salsa, quindi servite in tavola.

François Pierre de La Varenne, chef del XVII secolo, fu tra i primi a proporre piatti a base di verdure. Era famoso per le sue salse, che esaltavano il sapore naturale degli ingredienti invece di coprirlo.

| # Carciofi ripieni

Ingredienti per 6 persone

6 carciofi

50 g di prosciutto (in un'unica fetta)

1/4 di cipolla novellina

1 spicchio di aglio

alcune foglie di sedano

alcune foglie di prezzemolo

1 pizzico di funghi secchi

mollica di pane

olio

sale

pepe

Il vino

Accompagnate con un Merlot DOC del Lazio, di colore rosso granato e sapore pieno.

Tagliate il gambo dei carciofi alla base, eliminate le foglie esterne più dure e lavateli. Con un coltello svettate le cime, aprite le foglie interne, togliete la peluria e conservate le foglioline.

Preparate il ripieno unendo le foglioline più tenere, il prosciutto tagliato a cubetti con un coltello, la cipolla, l'aglio, il sedano, il prezzemolo, i funghi, la mollica sbriciolata e una macinata di pepe. Tritate il tutto con una mezzaluna e farcite i carciofi con il composto ottenuto. Poneteli in un tegame, irrorate d'olio e regolate di sale e pepe. Fate rosolare a recipiente coperto, quindi aggiungete un poco d'acqua e prolungate la cottura. Servite in tavola.

"Alcuni libri francesi suggeriscono di dare ai carciofi mezza cottura nell'acqua prima di riempirli, il che non approvo, sembrandomi che vadano a perdere allora la sostanza migliore, cioè il loro aroma speciale."

Pellegrino Artusi

Paolo Teverini

Composizione di melanzane e pomodori

Ingredienti per 4 persone

9 melanzane piccole (1,3 kg)

4 pomodori San Marzano

25 g di olive taggiasche snocciolate

2 filetti di acciuga

4 foglie di basilico

100 g di panna

100 g di yogurt

8 foglie di coriandolo

12 pomodori secchi

1 arancia grossa

1 cucchiaio di zucchero a velo

olio extravergine di oliva

sale

pepe di mulinello

Il vino

Accompagnate con un Bianco di Custoza, un DOC molto profumato, di colore giallo paglierino e dal sapore asciutto.

Avvolgete singolarmente quattro melanzane in un foglio di alluminio e cuocetele in forno a 180 °C per circa mezz'ora. Sbucciatele, frullate la polpa, salate, unite la panna e passate al setaccio. Pelate a vivo l'arancia, tagliate gli spicchi a cubetti e uniteli al purè di melanzane. Sbollentate i pomodori, raffreddateli in acqua ghiacciata, privateli della buccia, divideteli a metà aprendoli a libro ed eliminate i semi. Tritate le acciughe, le olive e il basilico; farcite i pomodori con il composto, quindi richiudeteli e avvolgeteli in una pellicola adatta alla cottura. Cuoceteli al vapore per circa 3 minuti.

Tagliate una melanzana a fette sottilissime; disponetele su una teglia rivestita con carta da forno, spolverizzatele con zucchero a velo e mettetele in forno a 80 °C per circa 2 ore, finché le fette diventeranno secche. Arrostite le melanzane rimaste sulla fiamma finché la buccia risulterà bruciacchiata, poi sbucciatele e mettetele in piccoli stampi rettangolari in modo che ne assumano la forma; salate e lasciate raffreddare. Sformate le melanzane sui piatti e cospargetele con i pomodori secchi tritati e conditi con olio. Sistemate a fianco il purè di melanzane, aiutandovi con uno stampo ad anello, e guarnite con le fette di melanzane. Completate con i pomodori farciti e un cucchiaio di yogurt profumato con il coriandolo tritato.

> "Una ricetta fresca e leggera, adatta alla stagione calda, realizzata con ingredienti della cucina del Mediterraneo."
>
> Paolo Teverini

Valeria Piccini | # Elogio al pomodoro

Ingredienti per 4 persone

200 g di pomodori confit

*100 g di brodo di verdure
e pomodoro*

200 g di pomodoro frullato

2 pomodori tipo Roma

1 pomodoro da insalata

4 pomodorini

30 g di salsa di pomodoro

100 g di pane raffermo

2 cetrioli

90 g di tonno sott'olio

4 uova di quaglia sode

13 g di gelatina in fogli

4 dischetti di pasta sfoglia

1/2 peperone giallo

1 acciuga sotto sale

50 g di riso

1/2 spicchio di aglio

4 foglie di basilico

4 foglie di insalata

1 cucchiaio di pesto

olio extravergine di oliva

aceto di vino bianco

sale e pepe

Il vino

Servite con un Vermentino toscano.

Per la panzanella: bagnate il pane con acqua fredda, strizzatelo e mettetelo in un'insalatiera con un pomodoro tipo Roma e un cetriolo tagliati a dadini, le uova di quaglia divise a metà, 70 g di tonno e due foglie di basilico tritate. Condite con olio, aceto, sale e pepe.

Per la gelatina: scaldate il pomodoro frullato senza farlo bollire, salate e fatevi sciogliere la gelatina. Versatene metà in quattro bicchierini e fate rassodare in frigorifero; mettete sopra il pesto, coprite con altro frullato e riponete in frigorifero.

Per la pizzetta: cuocete i dischi di sfoglia in forno a 200 °C per 5 minuti, quindi spalmateli con la salsa di pomodoro e disponetevi sopra alcuni "bottoncini" di pomodoro tipo Roma e peperone; coprite e rimettete in forno per 5 minuti. Sciogliete l'acciuga in due cucchiai di olio caldo e conditevi le pizzette.

Per i pomodorini farciti con riso: svuotate i pomodorini tenendo da parte la loro acqua. In un tegame mettete un cucchiaio di olio, l'aglio, il riso, l'acqua dei pomodori, il basilico tritato e il tonno restanti. Cuocete per 5 minuti. Farcite i pomodorini con il composto, coprite e passate in forno per 20 minuti.

Per la terrina: in uno stampo formate strati alternati di pomodoro confit e brodo di verdure in cui avrete sciolto 5 g di gelatina. Fate rassodare in frigorifero con un peso sopra, quindi tagliate a fette. Disponete le preparazioni sui piatti individuali e guarnite come mostrato a fianco.

Fagottini
di zucchine trombette

Ingredienti per 4 persone

700 g di zucchine trombette

*400 g di patate farinose
non trattate*

5 dl di brodo vegetale

2 porri medi

1/2 cipolla dorata

*1/2 cucchiaio di maggiorana
fresca tritata*

3 scalogni medi

2 uova

*50 g di parmigiano
grattugiato*

*olio extravergine di oliva
varietà taggiasca*

sale

pepe

Per la pasta:

300 g di farina di tipo 00

*60 g di olio extravergine
di oliva*

1 uovo

sale

Il vino

Servite con un Pigato della Riviera
Ligure di Ponente DOC,
dal profumo intenso,
leggermente aromatico.

Preparate la pasta impastando a lungo la farina con l'olio, l'uovo, una presa di sale e 90 g di acqua. Avvolgete il composto in una pellicola per alimenti e fate riposare per mezz'ora a temperatura ambiente. Per la salsa, affettate la cipolla e la parte bianca dei porri e fate appassire il tutto in una pentola con un filo di olio. Aggiungete metà delle patate tagliate a cubetti, mescolate e unite il brodo. Cuocete per circa mezz'ora, poi passate tutto al setaccio e montate la crema con alcuni cucchiai di olio; regolate di sale e pepe. Preparate adesso il ripieno: tritate gli scalogni e fateli appassire con alcuni cucchiai di olio. Grattugiate le zucchine e le patate rimaste, unitele agli scalogni e fate saltare il tutto per circa 5 minuti. Regolate di sale e pepe, versate il composto in un recipiente e amalgamatevi le uova, la maggiorana e il parmigiano.

Stendete la pasta sottilissima e ritagliate 36 fogli quadrati di circa 10 cm di lato. Lasciateli asciugare leggermente, quindi sovrapponete tre quadrati pennellandoli con olio. Ponete al centro una cucchiaiata di ripieno, chiudete a sacchetto e sistemate il fagottino all'interno di uno stampo per crème caramel. Preparatene 12 e cuoceteli in forno a 160-180 °C per 5-10 minuti. Versate un velo di salsa calda sui piatti, disponete sopra ognuno 3 fagottini, guarnite a piacere e completate irrorando con un filo di olio.

"La ricetta si ispira alle torte liguri di verdure, realizzate con una sfoglia sottilissima a base di farina, acqua e poco olio".

Anna Parisi

Ferran Adriá

Grigliata di verdure all'olio di carbonella

Ingredienti per 4 persone

400 g di carote

200 g di peperoni rossi

200 g di peperoni verdi

1 costola di sedano

3 kg di legna di leccio

1/2 l di olio di semi di girasole

4 g di agar-agar in polvere

6 fogli di gelatina da 2 g ciascuno (sciolti in precedenza in acqua fredda)

fiori di rosmarino

fiori di timo

sale Maldon (sale marino naturale inglese, in piccolissimi fiocchi friabili, proveniente da Maldon)

Il vino

Accompagnate con un Colli Orientali del Friuli Cialla Bianco, vino dal sapore armonico e asciutto.

Pulite le carote e cuocetele fino a disfarle. Lasciate riposare per 5 minuti e schiumate, quindi passate al setaccio fino a ottenere 150 g di succo. Mondate i peperoni rossi e verdi, lavateli e tagliateli a pezzi. Fate riposare per 5 minuti e schiumate. Passate al setaccio fino a ottenere 150 g di succo. Lavate il sedano, tagliatelo a pezzetti e sbollentatelo per 10 secondi, poi raffreddatelo in acqua ghiacciata. Cuocete fino a disfarlo e fate riposare per 5 minuti. Schiumate e passate al setaccio fino a ottenere 150 g di succo. Fate bruciare la legna fino a ottenere la carbonella. Mescolate olio e carbonella intiepidita in un recipiente metallico. Fate macerare per almeno 12 ore, quindi filtrate con una stamigna fino a ottenere 150 g di liquido.

In una casseruola unite 1/4 del succo di carota e l'agar-agar in polvere, regolando di sale. Mescolate e portate a ebollizione a fuoco medio; ritirate dal fuoco, aggiungete il resto del succo e schiumate. Unite un foglio e un quarto di gelatina e continuate a mescolare. Ripetete questa operazione con il succo di peperoni rossi, peperoni verdi e sedano, quindi lasciate riposare in freezer le diverse preparazioni, avendo cura di sistemarle in modo da ottenere delle formelle di 1 cm di spessore. Trascorse almeno 3 ore, ricavate dei rettangoli di 1 × 5 cm. Trasferiteli in un piatto rettangolare e disponeteli in questo ordine: peperone verde, carota, sedano, peperone rosso. Scaldate in una casseruola l'olio di carbonella e riscaldate il piatto con le gelatine. Versate a filo l'olio, decorate con i fiori di rosmarino e timo e salate a piacere.

Minestra di zucchine con gamberi e uovo affogato

Ingredienti per 4 persone

500 g di misticanza di zucchine (zucchine piccole, fiori, foglie, steli teneri e germogli centrali della pianta)

8 code di gamberoni rossi sgusciate

4 uova freschissime

1 cucchiaio di cipolla tritata

1 patata piccola

20 g di lardo

5 dl di brodo vegetale

olio extravergine di oliva

sale marino naturale

pepe di mulinello

Il vino
Accompagnate con un Pallagrello bianco, vitigno vigoroso molto diffuso nella provincia di Caserta.

Private gli steli di zucchina dei filamenti, quindi lavate e pulite accuratamente le altre parti della pianta. Sbollentate tutto in acqua salata in ebollizione e fate raffreddare in acqua ghiacciata per mantenere il bel colore verde. Sgocciolate bene gli ingredienti e tagliateli a pezzi. Riducete le zucchine e la patata a cubetti molto piccoli.

Scaldate un filo di olio in una pentola e fatevi appassire la cipolla a fuoco dolce. Aggiungete il lardo tagliato a dadini piccolissimi, mescolate, quindi unite tutte le verdure tagliate. Lasciate insaporire per alcuni istanti e versate circa due bicchieri di brodo vegetale, fino a coprire gli ingredienti. Cuocete a fuoco dolce per circa 8 minuti. Portate a ebollizione una pentola bassa con circa 1 l e 1/2 di acqua, sgusciatevi le uova facendole cadere piano, salate dopo alcuni istanti e cuocete a fuoco moderato per circa 3 minuti. Togliete le uova con una schiumarola, depositatele su un piatto e rifilate i bordi con uno stampo ad anello.

Scaldate un filo di olio in una padella antiaderente e fatevi saltare i gamberoni per 1 o 2 minuti. Regolate di sale e pepe. Distribuite la minestra nei piatti, ponete due gamberi al centro di ognuno, adagiate sopra l'uovo e completate con un filo di olio e un pizzico di sale.

> "Prendendo spunto dalla minestra di zucchine delle nostre terre, ho realizzato una ricetta più ricca e alleggerita nella cottura, un tempo lunghissima." Gennaro Esposito

Soffiato di cavolfiori con salsa acida

Alfonso Iaccarino

Ingredienti per 4 persone

400 g di cimette di cavolfiore

50 g di mozzarella

35 g di farina tipo 00

4 tuorli

3 albumi

5 g di senape

5 cl di aceto extravecchio

5 cl di vino bianco

60 g di porro affettato finemente

1 cucchiaino di cacao amaro in polvere

1 noce di burro

olio extravergine di oliva

sale

Il vino

Abbinate un Fiano di Avellino, di sapore asciutto e rotondo e profumo sottile. Servitelo a 8-10 °C.

Mondate e lavate accuratamente le cimette di cavolfiore e lessatele in poca acqua salata. Frullatene tre quarti e tenete da parte le altre. Scaldate due cucchiai di olio in una pentola, versate 30 g di farina, fatela tostare brevemente, poi aggiungete il cavolfiore frullato. Proseguite la cottura per 10 minuti, mescolando continuamente. Unite la mozzarella tagliata a cubetti e, appena sarà sciolta, ritirate dalla fiamma. Lasciate intiepidire e incorporate prima due tuorli e poi gli albumi montati a neve. Imburrate e infarinate quattro stampini individuali da soufflé e riempiteli fino a tre quarti della loro altezza. Cuoceteli in forno a 170 °C per circa 10 minuti (15-20 in forno casalingo). Intanto, frullate le restanti cimette di cavolfiore con un filo d'olio fino a ottenere una salsa cremosa.

Mettete il porro, il vino e l'aceto in un pentolino e cuocete finché il liquido sarà ridotto della metà. Filtrate e lasciate intiepidire. Sbattete i tuorli rimasti con la senape, unite la riduzione di aceto e vino e fate addensare a bagnomaria come uno zabaione. Ritirate dal bagnomaria e incorporate quattro cucchiai di olio versato a filo, sbattendo con una frusta. Mettete il soffiato sui piatti individuali, spolverizzate con il cacao e accompagnate con l'emulsione di cavolfiore e la salsa acida.

> "Un piatto realizzato con una salsa acida che ricorda il sapore delle verdure in fricassea. Nella stagione autunnale mi piace prepararlo con tartufo bianco e salsa di acciughe."
>
> Alfonso Iaccarino

Terrina di verdure grigliate e alici marinate

Davide Palluda

Ingredienti per 4 persone

12 alici freschissime

1 peperone rosso

1 peperone giallo

1 melanzana viola

1 zucchina

1 manciata di olive taggiasche in salamoia

1 dl di vino bianco molto secco

8 fettine sottilissime di pane

10 foglie di basilico (o di prezzemolo)

olio extravergine di oliva

sale

pepe di mulinello

Il vino

Accompagnate con un Pinot Nero, vino di colore rosso rubino ottenuto da un vitigno largamente coltivato in tutta Italia.

Lavate accuratamente le alici, eliminate la testa, eviscerate-le e togliete la lisca centrale senza staccare i filetti. Stende-tele su un piatto, insaporitele con sale e pepe e copritele con il vino bianco e un filo di olio; lasciate marinare per circa 3 ore. Nel frattempo sbucciate la melanzana, affettatela, salatela e lasciatela riposare per mezz'ora. Affettate la zuc-china a nastro e dividete i peperoni in quattro falde. Asciu-gate le melanzane, ungetele di olio, fatele grigliare e poi de-positatele su carta assorbente. Grigliate allo stesso modo le zucchine e i peperoni.

Togliete le alici dalla marinata e asciugatele. Rivestite uno stampo rettangolare della capacità di 1/2 l con un foglio di pellicola, quindi formate strati alternati di verdure grigliate e alici. Su ogni strato distribuite qualche oliva spezzettata. Mettete la terrina in frigorifero e ponetevi sopra un peso di 1 kg per fare pressione. Lasciate riposare per almeno 3 ore.

Frullate separatamente, con un filo di olio, le foglie di basi-lico (o prezzemolo), le olive e i ritagli dei peperoni. Tagliate la terrina a fette piuttosto spesse, disponetele sui piatti individuali e guarnite con fette di pane tostato, gocce e/o strisce dei vari ingredienti frullati ed eventualmente un filet-to di alice arrotolato, se rimasto.

"Una ricetta di ispirazione ligure-provenzale, fresca e leggera, che viene scelta con piacere ogni volta che la propongo nel mio menu estivo."   Davide Palluda

Carlo Cracco | # Verdure in crosta di sale

Ingredienti per 4 persone

2 carciofi

2 pomodori ciliegia

4 scalogni

4 cimette di cavolfiore

1 carota piccola

4 patate ratte

2 patate viola

8 asparagi

1 zucchina

1 limone

350 g di albumi

*450 g di sale affumicato
(reperibile nelle
gastronomie specializzate)*

1 filoncino di pane

olio extravergine di oliva

Pulite i carciofi, divideteli a metà e metteteli in acqua acidulata con il succo del limone. Pulite e lavate le altre verdure. Dividete a metà le patate viola (perché più grosse) e mantenete intere le altre verdure per avere una cottura uniforme. Se la carota fosse grossa, dividetela in metà. Se invece volete dimezzare i tempi di cottura, per ottenere una cottura uniforme tagliate le verdure a pezzi delle stesse dimensioni, tenendo ovviamente conto della loro consistenza (la carota, per esempio, deve essere più piccola della zucchina). Tagliando le verdure a pezzi, tuttavia, potrebbero rimanere leggermente salate.

Montate a neve soda gli albumi, incorporate il sale affumicato, quindi rivestite il fondo e le pareti di uno stampo da soufflé della capacità di circa 2 l e 1/2. Mettetevi le verdure ben asciugate (per evitare che l'acqua, sciogliendo il sale, le faccia salare troppo), ricoprite con il restante composto e cuocete in forno già caldo a 180 °C (210 °C in forno casalingo) per 1 ora. Tagliate la calotta di sale e albume rassodata, togliete le verdure, tagliatele a pezzi e conditele con un filo di olio. Guarnite con qualche pezzetto di pane leggermente tostato e servite.

> "La cottura in crosta di sale conserva tutti i sapori delle verdure. Il sale qui utilizzato conferisce un leggero sentore di affumicato, che si apprezza condendo le verdure con un filo di olio extravergine di oliva non troppo forte."
>
> Carlo Cracco

Marco Cavallucci

Verdure primaverili
al burro di cerfoglio

Ingredienti per 4 persone

200 g di punte di asparagi verdi

200 g di punte di asparagi bianchi

200 g di carotine novelle non trattate

8 cipollotti

80 g di piselli freschi sgranati

100 g di taccole

100 g di finocchi mignon

8 pomodorini ciliegia

100 g di burro

1 mazzetto di cerfoglio

2 prese di zucchero

sale

pepe di mulinello

Il vino

Servite con un Prosecco di Valdobbiadene Brut di colore giallo paglierino più o meno carico e profumo fruttato.

Togliete la parte verde e le foglie esterne dei cipollotti e lavateli. Eliminate il ciuffo verde e la radice delle carote e lavatele, strofinandole con una spazzola per verdure. Cuocete separatamente i cipollotti e le carote in poca acqua con una noce di burro e una presa di sale. A cottura ultimata, spolverizzate con una presa di zucchero per glassarle. Pulite e lavate i finocchi mignon e le taccole; lavate anche le punte degli asparagi e cuocete al vapore.

In una padella portate a ebollizione il burro rimasto con due cucchiai di acqua e una decina di foglie di cerfoglio tritate. Aggiungete i piselli, i pomodorini tagliati a spicchi e le altre verdure lessate. Lasciate insaporire per un paio di minuti saltando le verdure di tanto in tanto e regolate di sale e pepe. Distribuite nei piatti e guarnite con rametti di cerfoglio.

"Per apprezzare al meglio il sapore delle verdure, la cottura ideale è quella al vapore, mantenendole leggermente al dente; vanno quindi saltate al burro con qualche erba aromatica, aglio o cipollotto tritato, secondo il tipo di verdura. Una preparazione semplicissima per gustare le verdure di primavera."

Marco Cavallucci

Scuola
di cucina

Scelta e conservazione delle verdure

Anche se gli ortaggi freschi sono ormai reperibili tutto l'anno, è bene acquistarli nel momento di massima produzione, poiché sono più saporiti e hanno un costo inferiore. La tabella seguente elenca gli ortaggi di stagione.

Primavera	Estate	Autunno	Inverno
Aglio	Aglio	Aglio	Aglio
Asparagi	Barbabietole rosse	Barbabietole rosse	Broccoli
Carciofi	Bietole	Bietole	Carciofi
Carote	Bietole estive	Broccoli	Cardi
Cavolfiore	Carote	Carciofi	Carote
Cipolle	Cetrioli	Cardi	Cavolfiore
Fagiolini	Cipolle	Carote	Cavolini di Bruxelles
Fave	Fagioli freschi	Cavolfiore	Cavolo
Finocchi	Fagiolini	Cavolini di Bruxelles	Cipolle
Fiori di zucca	Melanzane	Cavolo	Finocchi
Ortiche	Patate	Cipolle	Indivia belga
Patate novelle	Peperoni	Finferli	Patate
Piselli	Piselli	Finocchi	Porri
Porri	Pomodori	Indivia belga	Radicchio rosso
Scalogno	Scalogno	Patate	Sedano bianco
Spinaci	Sedano verde	Porcini	Spinaci
Spugnole	Spinaci	Porri	Verza
Taccole	Zucchine	Rape	
Zucchine		Scalogno	
Sedano rapa			
		Verza	
		Zucca	

Togliete sempre gli ortaggi dagli involucri di plastica, poiché un'umidità eccessiva favorisce la formazione di muffe; copriteli eventualmente con un panno umido, per evitare che avvizziscano (in particolare nei frigoriferi ventilati).

La corretta conservazione delle verdure

Gli ortaggi freschi devono essere conservati in frigorifero, a esclusione di aglio, cipolla e scalogno che vanno riposti in un locale fresco e aerato, affinché non trasmettano aromi indesiderati. Patate e legumi secchi vanno invece conservati in ambienti freschi e asciutti. Per ogni tipo di verdura esiste una temperatura ottimale di conservazione, che oscilla tra i 2 e i 10 °C: le solanacee (melanzane, patate, peperoni e pomodori), per esempio, a temperature inferiori ai 7-8 °C tendono a cambiare colore e a macchiarsi sulla buccia.

Nel frigorifero domestico vengono in genere conservati contemporaneamente diversi alimenti, alcuni dei quali richiedono temperature prossime agli 0 °C. Potete quindi sistemare nel ripiano inferiore le verdure che prediligono il fresco, quali asparagi, carciofi, carote, cavoli, funghi coltivati, fagiolini ecc., e mettere le altre nei cassetti in cui la temperatura è più alta di alcuni gradi.

Le verdure nell'alimentazione

Il famoso slogan americano "five a day", coniato per sottolineare l'importanza di mangiare ogni giorno almeno cinque porzioni tra ortaggi e frutta, ha fondate basi scientifiche: numerosi studi hanno dimostrato che un'alimentazione ricca di frutta e verdura, oltre a limitare le carenze alimentari, è in grado di diminuire il rischio di insorgenza di diverse malattie croniche. Dal punto di vista nutrizionale possiamo raggruppare le verdure in tre grandi categorie:

- *ortaggi*: verdure con un'elevata percentuale di acqua (circa il 90%), una quota di proteine e glucidi pari al 2-3% e percentuali minime di grassi. Forniscono circa 10-40 kcal ogni 100 g e sono ricche di vitamina A e C;

Le virtù delle verdure erano già
riconosciute nell'antichità: il famoso
medico greco Ippocrate consigliava
infatti di mangiare molti ortaggi,
in particolare quelli dall'aroma
e dal sapore più decisi.

- *legumi*: quelli secchi hanno una quantità di proteine pari al 20-25% circa; le quote di lipidi e glucidi presenti al loro interno sono invece rispettivamente uguali al 50-55% e al 2-5%. Questi ortaggi forniscono circa 300-350 kcal ogni 100 g;
- *patate*: questi farinacei hanno una quantità di proteine equivalente al 2% circa del loro peso; le quote di glucidi e lipidi presenti al loro interno sono invece rispettivamente uguali al 16-18% e allo 0,5%. Le patate forniscono circa 70-90 kcal ogni 100 g.

Le verdure sono quindi caratterizzate da una presenza limitata di grassi, dall'assenza totale di colesterolo, da una quantità ridotta di calorie e da un discreto apporto di fibre: tali caratteristiche le rendono elementi insostituibili della buona tavola e giustificano gli incessanti inviti da parte dei nutrizionisti a un consumo quotidiano di questi preziosi alimenti.

*Scopriamo insieme
gli accorgimenti per pulire
e tagliare gli ortaggi
nel modo più corretto.*

Preparazione preliminare
delle verdure

La qualità della verdura dipende dalla varietà e da una serie di caratteri distintivi, tipici di ogni specie, che è bene conoscere per procedere a un acquisto ponderato. Di seguito descriveremo le caratteristiche principali di ogni ortaggio, le tecniche di pulitura e le eventuali preparazioni preliminari. Per quanto riguarda il lavaggio, ricordatevi di non lasciare le verdure a bagno in acqua per un lungo periodo, poiché perderebbero gran parte degli elementi nutritivi idrosolubili.

Asparagi

Gli asparagi sono classificati in quattro varietà: bianchi (ottimi quelli di Bassano), bianchi a punta violacea (per esempio quelli di Argenteuil), verdi (quelli di Altedo o di Santena) e selvatici. Scegliete sempre asparagi turgidi, più resistenti alla rottura, e di colore vivo.

Preparazioni preliminari

Con un pelapatate eliminate la parte più grossa del gambo degli asparagi, quindi pareggiate la base facendo attenzione a non spezzare le punte. Lavateli accuratamente sotto l'acqua corrente, riuniteli in mazzetti di 8-10 asparagi ciascuno e legateli con spago da cucina; cuoceteli al dente in abbondante acqua salata per 10-15 minuti, raffreddateli velocemente in acqua e ghiaccio e asciugateli adagiandoli su un panno da cucina. Conservateli avvolti in un panno umido e cercate di consumarli nel più breve tempo possibile, poiché tendono a sviluppare fibre legnose.

Bietole

La varietà da costa è quella più indicata per la preparazione di minestre, mentre quella da taglio, più piccola e dal gambo corto e sottile, è l'ideale per realizzare ottimi contorni. Controllate la rigidità della costa e il colore delle foglie, che deve essere lucente.

Preparazioni preliminari

Rifilate la parte terminale della costa, quindi separate le foglie dalle coste e lavate entrambe le parti. Potete bollire separatamente coste e foglie, che hanno tempi di cottura diversi, oppure unire le foglie ai gambi dopo circa 5-6 minuti di cottura. Dopo avere scolato le bietole, strizzatele con cura per eliminare l'acqua in eccesso, quindi tagliuzzatele grossolanamente.

Carciofi

Le varietà principali sono tre: con spine (toscano e siciliano), senza spino (mammola e viola ligure) e di piccolo formato, più adatto alla conservazione. Indici di qualità sono le brattee chiuse, dure e lucenti, che si spezzano facilmente; controllate che all'interno non sia presente il cosiddetto "fieno".

Preparazioni preliminari

Eliminate le brattee esterne più dure, quindi spuntate i carciofi a 2/3 della loro altezza, tagliate il gambo a una lunghezza di 3-4 cm e pareggiate la parte tra il gambo e l'attaccatura della parte inferiore; se all'interno dei carciofi è presente il "fieno", eliminatelo. Lavate i carciofi con cura e metteteli a bagno in acqua acidulata con succo di limone, affinché non diventino scuri. Per bollire i carciofi potete utilizzare il bianco speciale per ortaggi.

La conservazione dei carciofi
Per prolungarne la conservazione immergete i gambi di carciofo in acqua, come se fossero fiori.

Scegliere il cardo
Le coste devono essere sode e piene,
di un bel colore bianco: il bordo
rossastro è indice di sapore amaro.

Cardi

Tra le diverse varietà di cardo va ricordato in particolare il gobbo di Monferrato, utilizzato nella preparazione della bagna cauda.

Preparazioni preliminari

Eliminate le coste esterne, generalmente molto dure, servendovi di un pelapatate e togliete le parti filamentose da quelle rimanenti. Tagliate le coste in pezzi di 8-10 cm, lavatele, strofinatele con il limone e immergetele in acqua acidulata. I cuori possono essere consumati crudi in pinzimonio; se desiderate cuocerli, fateli bollire per circa 45-60 minuti nel bianco speciale per ortaggi, a pentola coperta, e lasciateli nel liquido di cottura fino al momento dell'utilizzo.

Carote

Le carote migliori sono quelle novelle, che maturano in estate. All'acquisto devono presentare un colore vivace, senza macchie verdi in superficie, e l'anima interna non legnosa.

Cavolfiore

Scegliete sempre cavolfiori con infiorescenze sode, carnose, non appassite o macchiate di nero; le foglie esterne non devono essere avvizzite.

Scolare le cimette
Scolate le cimette con precauzione, in modo da non romperle.
Se necessario, aiutatevi con una ramina ragno.

Per favorire l'allontanamento dello zolfo, responsabile del tipico odore del cavolfiore, lavatelo e bollitelo nel bianco speciale per ortaggi, a pentola scoperta.

Preparazioni preliminari

Staccate le foglie esterne e tagliate la base dell'ortaggio in quattro parti, quindi apritelo, eliminate la parte centrale più dura e dividete il cavolfiore in cimette.

Cavolini di Bruxelles

Le foglie dei cavolini devono essere piccole, compatte, di colore verde brillante e ben serrate, a formare una piccola palla piuttosto consistente. È sufficiente "rinfrescarne" la base con un taglio e lavarli in abbondante acqua fredda.

Cavolo

Esistono due principali varietà di cavolo, entrambe di forma sferica: il cavolo cappuccio (bianco, verde e rosso), con foglie lisce, e la verza, che ha invece foglie crespe. La "palla" deve essere pesante, con foglie ben serrate (per il cappuccio), dal colore deciso.

Preparazioni preliminari

Tagliate la "palla" del cavolo in quattro parti; eliminate quindi le foglie esterne appassite e la parte centrale, piuttosto dura. Mettete i pezzi a bagno per qualche minuto in acqua fredda acidulata con aceto, per far uscire gli eventuali insetti nascosti all'interno.

Champignon

È il tipo più comune di fungo coltivato, derivato dal prataiolo; in commercio se ne possono trovare due versioni: bianco e crema (quest'ultimo è il più saporito).

Preparazioni preliminari

Eliminate la base dei funghi, in genere sporca di terra. Se la ricetta lo richiede (o se i funghi sono vecchi), pelate la cappella eseguendo un movimento semicircolare con lo spe-lucchino (partendo dall'esterno e procedendo fino al cen-tro). Lavate velocemente i funghi in acqua acidulata, scola-teli aiutandovi con le mani e ripetete l'operazione; asciuga-teli quindi con cura. Lavate i funghi solo prima dell'utilizzo, poiché assorbono acqua e diventano rapidamente scuri.

Fagiolini

Il baccello deve essere croccante, carnoso, di colore bril-lante e privo di filo. Questi ortaggi devono essere consumati al più presto, perché mal sopportano la conservazione.

Preparazioni preliminari

Con un coltellino eliminate le due estremità dei fagiolini, quindi lavateli accuratamente. Se hanno il filo, spezzate-ne le estremità con pollice e indice per agevolarne l'a-sportazione. Fateli bollire in abbondante acqua, lasciate-li raffeddare in acqua e ghiaccio e stendeteli su un pan-no. Per "rinnovare" i fagiolini avvizziti teneteli a bagno per almeno 1 ora in acqua e ghiaccio.

Finocchi

Scegliete il finocchio in base all'utilizzo previsto: quelli di forma tonda sono adatti per essere consumati crudi, mentre quelli ovali sono ideali per le cotture, poiché sono più saporiti. All'acquisto sono da preferire quelli sodi, carnosi, croccanti e di un bel colore bianco brillante.

Preparazioni preliminari

Eliminate le foglie esterne, le code verdastre e la base del finocchio, quindi tagliatelo in quattro parti. Lavatelo con cura sotto l'acqua corrente, soprattutto al centro dove si infiltra la terra, quindi asciugatelo. Se dovete bollirlo, servitevi di una pentola d'acciaio con coperchio e utilizzate il bianco speciale per ortaggi.

Lenticchie

Le lenticchie più pregiate sono quelle di Castelluccio, di Campo Imperatore e di Altamura; buone ed economiche sono invece le lenticchie canadesi. I due indici di qualità più evidenti sono le dimensioni piccole e la buccia sottile, oltre che l'assenza di sassolini e altre impurità.

Melanzane

Le melanzane possono avere forma arrotondata o allungata e colore variabile tra bianco, viola e nero; le prime sono caratterizzate da un sapore più delicato. L'aspetto deve essere sodo, la pelle intatta e lucente e l'interno privo di semi.

Preparazioni preliminari

Se previsto dalla ricetta, pelate le melanzane servendovi del pelapatate; lavatele e tagliatele, disponetele su un setaccio (o in un colapasta) e salatele. Lasciatele riposare per circa 1 ora, affinché perdano l'acqua di vegetazione, quindi sciacquatele e asciugatele. In alternativa potete asciugare le melanzane non salate in una padella antiaderente a fiamma bassa, senza alcun condimento. Questo procedimento è spesso superfluo, poiché le varietà attualmente disponibili in commercio sono meno amare rispetto a quelle coltivate in passato.

Patate

Le patate si dividono in tre categorie, in base all'utilizzo gastronomico:

- *patate sode a polpa gialla* (Sieglinde, Roserol), povere di amido, che non si sbriciolano al taglio: sono ideali per la cottura bollita e per la frittura, poiché assorbono poco olio;
- *patate mediamente sode a polpa giallo-paglierina* (Bintje, Primura), abbastanza farinose, che non si sbriciolano al taglio: sono ideali per la cottura al forno e per la preparazione del composto "duchessa", ma possono essere utilizzate con discreti risultati in tutte le ricette;
- *patate farinose a polpa bianca* (Majestic), dalla pasta asciutta che tende a sfaldarsi: sono quelle più adatte per purè e gnocchi, ma possono anche essere cotte in forno.

Al momento dell'acquisto sceglietele sode e senza macchie verdi sulla buccia. Le patate vanno conservate al buio in un locale fresco e asciutto, possibilmente a una temperatura di circa 8-10 °C, per limitare la formazione di germogli.

Preparazioni preliminari

Pelate le patate servendovi dell'apposito utensile, facendo attenzione a eliminare le parti verdi e quelle vicine ai germogli, che hanno una elevata concentrazione di solanina (una sostanza tossica per l'uomo), quindi lavatele accuratamente sotto l'acqua corrente.

Peperoni

Esistono diverse varietà di peperoni, che si distinguono in base al formato (quadrilobato, lungo, piccolo da conserva) e al colore (verde, giallo, rosso, arancione): quelli piemontesi sono considerati i migliori. Scegliete peperoni sodi e carnosi, dal sapore più dolce rispetto a quelli con polpa meno spessa, dalla pelle brillante e senza ammaccature.

Preparazioni preliminari

Lavate i peperoni, tagliateli a metà, eliminate il picciolo, i semi e le nervature bianche, quindi risciacquateli. Se dovete pelarli, ungeteli leggermente e abbrustoliteli sulla griglia, oppure immergeteli per qualche istante in olio bollente.

Pomodori

Le varietà di pomodoro sono numerose e vengono suddivise in tre categorie principali:

- *pomodori da tavola*, a maturazione precoce, con buccia resistente e polpa soda. Il Marmande e il Cuore di bue sono ottimi per le insalate, mentre il Tondo liscio e il Ventura sono ideali per i contorni;
- *pomodori da sugo e per pelati*, a forma di perina, dal colore rosso vivo e dalla polpa resistente. Le varietà più note sono il San Marzano e l'Arrigoni;
- *pomodori per la preparazione di concentrati*, ad alto contenuto di cellulosa.

Per la cottura scegliete pomodori ben sodi e di colore rosso vivo; per le insalate utilizzate invece quelli rosati, dalla polpa soda e consistente.

Porri

I porri invernali sono in genere più saporiti, mentre quelli estivi risultano più teneri: i primi sono ideali per il confezionamento di salse, mentre i secondi vengono utilizzati per la preparazione di contorni.

Preparazioni preliminari

Tagliate la base del porro all'altezza delle foglie, per eliminare le radici e il fusto; potete utilizzare le foglie verdi per aromatizzare salse e minestre. Eliminate le foglie avvizzite, tagliate il vegetale nel senso della lunghezza in due o quattro parti, in base alla grandezza, quindi lavate accuratamente i pezzi e asciugateli.

Sedano

Il sedano invernale, di colore bianco, è più saporito e amarognolo di quello estivo, di colore verde; per questo motivo viene utilizzato principalmente come aromatizzante in brodi e salse. Scegliete sedani dalle coste piene e turgide, con foglie fresche e di colore vivo.

Per prolungare la conservazione del sedano, tenetelo in frigorifero con la base immersa in acqua leggermente salata.

Dopo aver eliminato le coste più dure, parate la base del sedano e tagliatelo all'altezza di 20 cm; lavatelo quindi con cura e con un pelapatate eliminate i filamenti delle coste esterne, partendo dalla base e procedendo verso l'alto. Per la cottura bollita o brasata è consigliabile legare la parte alta, in modo che il sedano rimanga compatto.

Sedano rapa

È una varietà di sedano caratterizzata da una radice ingrossata, di forma sferica. Di questo ortaggio si consuma la radice, che ha un gusto simile a quello delle coste di sedano. Viene utilizzato per la preparazione di insalate.

Preparazioni preliminari

Lavate il sedano rapa, pelatelo servendovi di uno spelucchino, quindi sciacquatelo e asciugatelo. Potete servirlo crudo in insalata, oppure bollito nel bianco speciale per ortaggi e tagliato a pezzi.

Gli spinaci al salto
Se vi piace il sapore intenso, provate a cuocerli direttamente a fiamma viva, con un goccio d'olio, per un paio di minuti.

Spinaci

Scegliete spinaci giovani, con foglie fresche, turgide, piccole, croccanti e dal colore vivace.

Preparazioni preliminari

Eliminate la radice e le parti rossastre dei gambucci, allontanate le foglie gialle o avvizzite e lavate gli spinaci accuratamente, diverse volte. Gli spinaci vengono generalmente bolliti, quindi insaporiti in padella.

Zucca

Il tipo più adatto in cucina è quello allungato, a forma di fiaschetto, oppure di media grandezza a forma arrotondata e schiacciata. Scegliete zucche mature e pesanti, con profonde insenature, dal picciolo ben secco e dalla buccia rugosa e opaca.

Preparazioni preliminari
Lavate la zucca e tagliatela a pezzi. A seconda della ricetta, potete cuocerla in forno a 200 °C oppure bollirla in acqua leggermente salata e zuccherata. Il tempo di cottura è di circa 20-25 minuti. Non eliminate mai la buccia e, nella cottura in forno, neppure i semi.

Zucchine

Le varietà nazionali hanno colore chiaro e forma tozza, mentre le cosiddette zucchine "americane" sono più allungate e hanno la pelle di colore verde scuro. Scegliete quelle di piccole dimensioni, poiché hanno una quantità inferiore di semi, e preferite quelle con la pelle lucida e di consistenza soda.

Preparazioni preliminari

I fiori delle zucchine
Della zucchina si consumano anche i fiori, che però si possono conservare per breve tempo: avvizziscono infatti in meno di un giorno.

Eliminate le due estremità della zucchina e lavate come di consueto. Se le zucchine vengono bollite, è bene togliere le due estremità solo a cottura ultimata, in modo che le zucchine si imbevano meno di acqua.

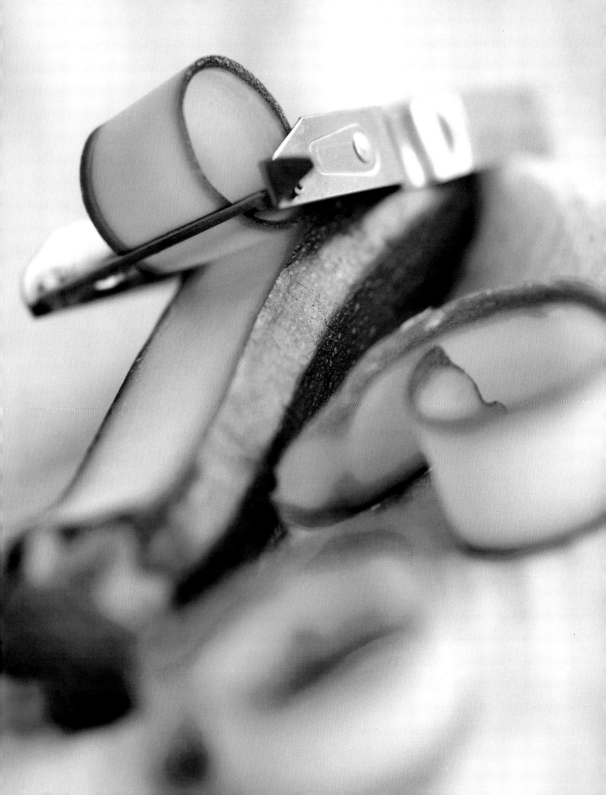

*Tornire patate e verdure
o preparare una purea: non
ci saranno segreti dopo aver
letto i consigli dell'esperto.*

Tecniche e ricette di base

Tornire le patate e le verdure

La tornitura è utile per migliorare la presentazione delle verdure, ricavandone forme particolari. In genere questa operazione viene eseguita con uno spelucchino ben affilato. Per ottenere buoni risultati è sufficiente un po' di pratica.

Patate al vapore

Tagliate le due estremità di una piccola patata (circa 6 cm di lunghezza), quindi paratela con tagli netti e arrotondati, procedendo da un'estremità all'altra. Le patate tornite in questo modo vengono cotte al vapore oppure in acqua bollente leggermente acidulata.

Patate castello

Procedete come descritto in precedenza, tagliando poi le patate a metà nel senso della lunghezza e parando i nuovi spigoli che si vengono a formare. Le patate castello vengono in genere sbianchite e cotte al forno impiegando burro chiarificato.

Patate cocotte e verdure tornite

Tagliate le patate e le verdure (carote o zucchine) a pezzetti di 5 cm di lunghezza e ogni pezzetto in 2-4 parti, in base alla grandezza. Arrotondate gli angoli e poi, con movimenti simili a quelli eseguiti per le patate al vapore, date una forma a fuso all'ortaggio. Cuocetele separatamente al vapore o in acqua bollente e conditele con burro fresco.

Le virtù delle patate
Le patate hanno proprietà antiacido,
sono diuretiche e calmanti;
contrariamente a quanto si crede,
inoltre, non fanno ingrassare.

Patate fondenti

Procedete come per le patate a vapore, utilizzando però patate leggermente più grandi, quindi praticate un taglio verticale su una sfaccettatura in modo che ogni patata abbia una base d'appoggio. Sistematele in una teglia imburrata e cuocetele in forno bagnandole di tanto in tanto con brodo, quindi lucidatele con un po' di burro.

Patate mascotte

Procedete come per le patate al vapore, tagliandole poi in quattro parti nel senso della lunghezza e tornendo ogni spicchio. Sbianchitele e cuocetele in forno.

Purea di verdura

Oltre alla classica purea di patate, si possono preparare ottime puree con diverse verdure: servite come contorno, consentono di accostare al meglio i sapori. Ricordiamo che patate di buona qualità possono accompagnare qualunque piatto, anche se tendono a smorzare i sapori piuttosto che esaltarli.

Procedimento

In una casseruola versate un filo d'olio, quindi aggiungete la verdura prescelta e un'analoga quantità di patate pelate e tagliate a dadini. Salate leggermente, coprite e lasciate stufare il tutto per qualche minuto, mescolando di tanto in tanto. Bagnate quindi con acqua fino a coprire quasi interamente le verdure, salate e lasciate bollire fino a completa cottura. Passate al colino le verdure e conservate l'acqua di cottura; tritate le verdure nel cutter, quindi passatele nel setaccio per raffinarle ed eliminare eventuali fibre. Portate la purea alla giusta consistenza aggiungendo un po' dell'acqua di cottura e una noce di burro freddo.

Alcune verdure (per esempio i fagioli e i fagiolini) non devono essere stufate: cuocetele in poca acqua bollente insieme con le patate. Se utilizzate verdure ricche di amido, come i legumi e la zucca, dimezzate la dose di patate. Per ottenere un composto più cremoso, potete sostituire l'acqua di cottura con la panna.

Composto per patate duchessa

Ingredienti
700 g di patate farinose
70 g di burro
2 tuorli
noce moscata
sale
pepe

È una purea di patate arricchita con burro e tuorli d'uovo, utilizzata sia nella preparazione di contorni (patate duchessa, patate brioche e crocchette di patate), sia come elemento di guarnizione dei tournedos, delle uova e delle cappesante: il composto serve da base o da decorazione del bordo della conchiglia. In alternativa si possono realizzare anche *vol-au-vent*, da farcire con piselli al prosciutto o altri elementi a piacere.

Procedimento

Lavate le patate, mettetele in una pentola, copritele con abbondante acqua fredda e lessatele. A cottura ultimata eliminate la buccia e passate le patate al passaverdure, quindi incorporate i tuorli, uno alla volta, mescolando continuamente. Aggiungete il burro e gli aromi e amalgamate

Oltre alla forma classica a cilindro, le crocchette possono essere modellate e impanate in altri modi. Potete dar loro la forma di una piccola pera e mettere un pezzetto di gambo di prezzemolo come picciolo, oppure formare alcune palline, passarle nel bianco d'uovo sbattuto e "impanarle" con mandorle tritate o tagliate a filetti.

con cura il composto. Per preparare le patate duchessa, riempite una tasca da pasticciere con bocchetta rigata, quindi formate alcune rosette su una teglia imburrata, doratele leggermente con uovo sbattuto e fatele gratinare nel forno ben caldo.

Trucchi & consigli

La cottura ideale delle patate è quella al forno su sale grosso, che le rende più asciutte e saporite. Quando si utilizza il passaverdure, il composto tende a diventare colloso: se ne avete la possibilità, passate le patate con un setaccio, aiutandovi con una raschia di plastica, oppure servitevi dello schiacciapatate con fori fini. Unite i tuorli quando il composto è ancora bollente, per dare più consistenza e stabilità alla preparazione.

Preparare le crocchette di patate

Le crocchette sono senza dubbio uno dei piatti più prelibati che si possano preparare con le patate. Potete insaporire il composto con erbe aromatiche, cipolla stufata, funghi coltivati trifolati, tartufo nero cotto con marsala.

Ingredienti

600 g di composto per patate duchessa

2 uova

farina

pangrattato

olio per friggere

Procedimento

Riempite con il composto per patate duchessa una tasca da pasticciere con bocchetta liscia del diametro di 15 mm. Infarinate un tagliere e con la tasca formate lunghi bastoncini, che taglierete alla lunghezza di 5-6 cm. Impanate le crocchette: infarinatele in modo omogeneo, immergetele nell'uovo sbattuto, sgocciolatele con cura e passatele nel pangrattato. Aiutandovi con una spatola, rotolate le crocchette su un piano pulito, in modo da regolarizzare la forma. Friggetele poi nell'olio a 190 °C, mettetele su carta assorbente a perdere l'unto e servitele ben calde.

I principali sistemi di cottura delle verdure

Con la cottura il colore delle verdure può mutare in modo significativo; tuttavia, con alcuni semplici accorgimenti, potete evitare i principali effetti indesiderati.

- Il *verde* è dovuto alla presenza di clorofilla: si imbrunisce se cuoce in acqua fortemente calcarea o in ambiente acido, mentre diviene brillante in presenza di rame o in ambiente alcalino. Per questo motivo alcuni consigliano di aggiungere un po' di bicarbonato nell'acqua di cottura di fagiolini o altre verdure, ma è una pratica errata, poiché ammorbidisce la struttura dell'ortaggio.
- Il *rosso-porpora* è dovuto alla presenza di antocianina: l'ambiente acido lo enfatizza, mentre un ambiente alcalino lo rende opaco. Quando cuocete barbabietole o cavoli rossi aggiungete quindi un po' di aceto o succo di limone.
- Il *bianco-giallognolo* è dato dai flavoni: l'ossigeno, l'alluminio e l'ambiente alcalino tendono a imbrunirli.
- Il *giallo-arancio* è dovuto ai caroteni: sono pigmenti stabili che non cambiano colore in modo significativo.

La sbianchitura

Alcuni ortaggi necessitano di una scottatura in acqua, detta *sbianchitura*, prima di essere sottoposti alla cottura vera e propria. Pomodori e peperoni vengono sbianchiti rispettivamente per 10 e 30 secondi per favorirne la pelatura. Le verdure amare (quali indivia, scarola, cicoria ecc.) vengono invece sbianchite per ridurre il sapore troppo forte. Tale

È importante prestare attenzione non solo alla preparazione delle verdure, ma anche alla loro presentazione: il colore dei piatti, per esempio, dovrebbe contrastare con quello della verdura; se possibile, decorateli con eleganza.

Nella preparazione delle verdure cotte è possibile sperimentare, ma è anche consigliabile trarre ispirazione da accostamenti tradizionali: la menta si può utilizzare nelle preparazioni con l'aceto, mentre il pomodoro si può abbinare con successo alla cipolla; l'unione di verdure dolci e verdure amare, come fave e cicoria, può riservare piacevoli sorprese.

pratica risulta indispensabile anche quando si vogliono congelare le verdure, poiché distrugge buona parte dei microrganismi e degli enzimi, che causano l'imbrunimento della maggior parte degli ortaggi e la loro veloce degradazione. Per questi ortaggi adottate il seguente procedimento: immergete i vegetali in acqua bollente a pentola scoperta e, non appena l'acqua riprende il bollore, scolateli, tuffateli per qualche istante in acqua e ghiaccio, quindi stendeteli ad asciugare.

Anche le patate al forno devono essere prima sbianchite, ma sono sottoposte a un trattamento leggermente diverso: dopo averle pelate e tagliate, versatele in una casseruola con acqua fredda, salatele e mettetele sul fuoco. Quando l'acqua è in procinto di bollire e sulla superficie inizia a formarsi un po' di schiuma, scolate le patate, sgocciolatele con cura, disponetele nella teglia con olio o strutto e aromi, quindi passatele per 1 minuto sul fuoco, poi infornate a 180 °C.

La cottura per ebollizione

Nei vari ricettari troverete due scuole di pensiero relative alla cottura per ebollizione: alcuni suggeriscono di utilizzare poca acqua, altri invece molta. Esistono ragioni valide a sostegno di entrambi i metodi: nel primo caso si limita la dispersione di vitamine e sali minerali e si conserva il sapore dell'alimento; nel secondo si ottengono colori più brillanti e le verdure risultano più tenere. Alcune regole comuni a entrambe le tecniche sono elencate di seguito.

- Evitate di tagliare a pezzetti i vegetali da cuocere, per limitare la dispersione di nutrienti durante la cottura.
- Immergete le verdure in acqua bollente salata, possibilmente povera di calcio, e utilizzate sempre una fiamma

È molto importante versare gli ortaggi nell'acqua in piena ebollizione, poiché in questo modo non si induriscono, il loro colore rimane brillante e si limitano l'ossidazione e la perdita di vitamina C. Uniche eccezioni sono le patate con la buccia e i legumi secchi, che vanno cotti partendo da acqua fredda.

molto viva per far riprendere il più velocemente possibile l'ebollizione. Non aggiungete mai bicarbonato di sodio al liquido di cottura.

- Lasciate la pentola scoperta nella cottura dei vegetali verdi, in modo che gli acidi contenuti nelle verdure possano volatilizzarsi prima di attaccare la clorofilla; coprite invece la pentola nella bollitura degli ortaggi bianchi per limitare il contatto con l'ossigeno, che tende a imbrunirli. Unica eccezione è il cavolfiore, che va cotto senza coperchio per allontanare gli odori sgradevoli.

- Cuocete gli ortaggi al dente: avranno un aspetto più gradevole, una struttura consistente, sapore inalterato e un più alto contenuto di nutrienti.

- Dopo aver scolato le verdure, servitele immediatamente. Se le utilizzate fredde, immergetele per pochi secondi in acqua e ghiaccio, poi asciugatele e conservatele in un contenitore fornito di coperchio: questo brusco raffreddamento ha lo scopo di fissare il colore e bloccare la cottura.

Tempi di cottura indicativi

Di seguito sono elencati i tempi di cottura indicativi delle varie verdure; non vanno presi alla lettera, poiché la dimensione, la varietà e il grado di maturazione dell'ortaggio, oltre ai gusti personali, incidono notevolmente su questi dati.

- 3-4 minuti: foglie di bietola, spinaci.
- 6-8 minuti: broccoli (con il gambo tagliato a pezzetti), cavolo affettato.
- 10 minuti: asparagi, coste di bietola, cavolini di Bruxelles, porri, rape.
- 15 minuti: cavolfiore, fagiolini, finocchi, patate piccole, zucca a pezzi, zucchine.

- 30-40 minuti: carciofi, carote, cipolle, patate medie, sedano-rapa.
- 50-60 minuti: barbabietole, cardi.

Gli ortaggi bianchi (come cardi, rape e cavolfiori) e quelli che anneriscono al contatto con l'aria (carciofi e scorzonera) devono essere cotti in un liquido chiamato *bianco speciale per ortaggi*. Per prepararlo adottate il procedimento seguente: stemperate 20 g di farina in 1 l di acqua, aggiungete un po' di sale, un cucchiaio di succo di limone e 20 g di burro; filtrate la preparazione, portate a bollore e cuocetevi gli ortaggi, tenendo presente quanto detto nelle pagine precedenti.

Cuocere i legumi secchi

È necessario utilizzare legumi non troppo vecchi, al massimo di un anno, e scartare quelli raggrinziti.

Procedimento

Lasciate i legumi secchi a bagno in acqua fredda per circa 12 ore, quindi scolateli e metteteli in una pentola con abbondante acqua fredda; coprite e lasciate cuocere, a ebollizione appena percettibile, per un tempo variabile da 1 ora e 30 minuti e 2 ore e 30 minuti, a seconda del legume. Salate l'acqua solo a fine cottura, perché il sale tende a indurire la buccia.

Trucchi & consigli

Le lenticchie e i piselli secchi hanno la buccia sottile e possono essere cucinati direttamente partendo da acqua fredda, senza bisogno di ammollo: le prime cuociono in appena mezz'ora, mentre i secondi devono essere sbianchiti, poi cotti per circa un'ora.

La cottura stufata

Le verdure più utilizzate sono l'acetosella, le carote, le cipolle, le rape e le zucchine, in particolare quando sono ancora piccole e ricche di acqua.

Procedimento

Pulite e preparate le verdure tagliandole a fette, a rondelle o comunque a pezzi non troppo grandi. Mettete sul fuoco medio una casseruola o una padella con una noce di burro (circa 60 g per chilogrammo), aggiungete la verdura, salate e coprite con un coperchio che sigilli perfettamente. Mescolate di tanto in tanto. Dopo qualche minuto i vegetali tenderanno a cedere una parte di acqua di vegetazione: con il calore le gocce di vapore acqueo si condensano sul coperchio e ricadono a goccioline sulle verdure, mantenendole sempre umide. A cottura ultimata non deve esserci acqua nella casseruola e le verdure devono essere ancora umide, ma colorite.

La cottura brasata

È un metodo di cottura in genere poco utilizzato nelle preparazioni quotidiane, capace tuttavia di valorizzare il sapore delle verdure: quelle più adatte sono la lattuga, il cavolo, l'indivia, la scarola e il porro.

Procedimento

Pulite e preparate le verdure tagliandole a spicchi o a pezzi di grandi dimensioni, quindi sbianchitele come descritto in precedenza. Nel frattempo imburrate abbondantemente un recipiente basso con fondo spesso (un tegame o una padella), disponetevi un letto di sedano, carota e cipolla affettati, qualche grano di pepe e un mazzetto aromatico; adagiatevi sopra le verdure in uno strato regolare e mettete il tutto sul fuoco, coperto e a fiamma bassa, per qualche minuto, affinché prenda sapore, scuotendo di tanto in tanto il recipiente. Bagnate fino a 1/3 dell'altezza con brodo (acqua, per finocchi e indivia), coprite con carta oleata imburrata e con il coperchio e fate cuocere in forno a calore moderato (160 °C): a cottura ultimata il liquido dovrà essere in buona parte evaporato. Disponete le verdure in una pirofila eliminando il fondo aromatico, fate restringere il fondo di cottura, versatelo sui vegetali e servite.

Trucchi & consigli

Prima di versare il fondo di cottura sulle verdure, montatelo con il burro: aggiungete burro molto freddo tagliato a dadini (una parte ogni due di liquido) e mescolate vigorosamente con una frusta, senza far bollire. Il liquido tenderà ad assumere una consistenza cremosa e lucida.

La cottura glassata

È un altro metodo di cottura poco diffuso, estremamente adatto alle verdure di buona struttura e dal sapore tendenzialmente dolciastro, come carote, cipolline e rape.

Procedimento

Pulite le verdure, lasciando intere cipolline e carotine novelle e tagliando a rondelle o tocchetti carote o rape di

L'ispessimento della salsa è dovuto all'emulsione formata da liquido e burro e alla presenza dello zucchero.

grandi dimensioni. Disponete gli ortaggi in una casseruola bassa, aggiungete 70 g di burro per ogni kg di vegetali, un pizzico di sale, 10-15 g di zucchero e acqua, in modo da coprire quasi interamente tutte le verdure. Portate a bollore, coprite e fate cuocere a fiamma media fino a completa cottura. Togliete il coperchio e lasciate evaporare il poco liquido rimasto a fuoco vivo, muovendo il recipiente affinché gli ortaggi non si attacchino. Quando notate che il fondo rimasto ha reso lucide le verdure, aggiungete un tocchetto di burro, continuate a muovere in senso rotatorio la casseruola, disponete il tutto in una pirofila e servite cospargendo a piacere con un po' di prezzemolo tritato.

Trucchi & consigli

Una variante riservata alle cipolline è la glassatura scura: caramellate 50 g di zucchero, bagnate con 5 cucchiai d'aceto e un bicchiere di acqua, quindi aggiungete 50 g di burro e 1 kg di cipolline; procedete come per la glassatura chiara.

La cottura in forno delle verdure con buccia

Forse perché rievoca altri tempi e tradizioni contadine ormai dimenticate, preparare e presentare una semplice patata o una cipolla con la propria buccia è più un rito che non una tecnica di cucina. I procedimenti sono leggermente diversi a seconda dell'ortaggio, mentre la temperatura di cottura è sempre di 170-180 °C.

Procedimento

Disponete patate e melanzane in una teglia su uno strato di sale grosso alto quasi un dito, quindi infornate: sarà necessaria circa 1 ora di cottura (noterete che le melanzane tendono a "gonfiarsi"). Le cipolle vanno invece poste in una pirofila delle giuste dimensioni (non devono rimanere spazi vuoti), quindi coperte con un foglio d'alluminio e infornate: fate attenzione che il fondo non si bruci, perché il liquido dolciastro che produce tende a caramellarsi nel recipiente; se necessario potete aggiungere un po' di acqua. Le barbabietole devono infine essere avvolte con un foglio d'alluminio e cotte lentamente in forno per almeno 3 ore. La presentazione delle verdure cotte al forno dovrà essere altrettanto semplice: potete servirle intere (cipolle e melanzane), praticare un'apertura nella parte superiore (patate) o sbucciarle (cipolle e barbabietole), quindi condirle con ottimo olio extravergine di oliva, sale e pepe nero macinato al momento; aggiungete qualche goccia di aceto balsamico sulle cipolle. Le patate si prestano anche a essere svuotate e farcite.

Trucchi & consigli

Se avete un camino, per deliziare i vostri commensali in un'occasione speciale potete cuocere le verdure sotto la cenere: condite gli ortaggi, avvolgeteli con fogli d'alluminio e ponete i cartocci in un angolo del camino completamente ricoperti di ceneri e braci, lasciandoli cuocere lentamente. In questo modo si possono preparare patate, cipolle, funghi, tartufi e mele.

La cottura sotto cenere
Questo tipo di cottura ha origini antichissime: già nel IV secolo a.C. il pane di farro e orzo veniva cotto sia sotto la cenere sia sopra la brace.

Utensili

Affettalegumi "a mandolino"

È uno strumento utile per tagliare frutta e verdura in varie forme: a rondelle, a fette, a fiammifero, a rete, a julienne. La mano fa scorrere l'alimento sulla lama dell'utensile, con un rapido movimento avanti e indietro, che ricorda quello utilizzato per suonare l'omonimo strumento.

Casseruola bassa

Chiamata anche "rondeau", è una casseruola larga e bassa, adatta per le salse e le preparazioni che richiedono una rapida vaporizzazione.

Coltello a lama zigrinata

Coltello dalla lama lunga 10-14 cm, a zig-zag, viene utilizzato per tagliare le verdure bollite, che in questo modo assumono una forma scannellata.

Coltello da cuoco

Detto anche trinciante leggero, a punta dritta "alla francese", è il coltello utilizzato per tagliare e tritare le verdure. La lunghezza consigliata per la lama è di circa 25 cm.

Pelapatate

Ne esistono di due forme: il "castor", a forma di archetto, e l'"econome" con la lama inserita in un manico. La struttura deve essere in acciaio inox, mentre per la lama è preferibile il ferro, molto più tagliente.

Ramina a ragno

Utensile dalla particolare forma a rete che consente di scolare rapidamente gli alimenti cotti in un liquido (acqua oppure olio).

Raschia di plastica

Strumento a forma di grande unghia, utilizzato per raschiare taglieri, comprimere gli alimenti nel setaccio e pulire i bordi di un recipiente.

Scavino

Utensile dotato di un manico e un piccolo cucchiaio semisferico o semiovale di varie misure, che viene utilizzato per ricavare palline da patate, carote, rape e altre verdure.

Schiacciapatate

È costituito da un cilindro a fori dotato di un pistone che pressa l'alimento posto all'interno.

Spelucchino

Coltellino dalla lama a becco, lunga dai 6 ai 9 cm, utilizzato in cucina per tutte le piccole operazioni relative alla pulizia o al taglio delle verdure.

Tasca da pasticciere

Tasca in tela speciale, corredata di bocchette lisce o rigate, utilizzata per decorare e distribuire agevolmente farce e composti.

Tegame

Recipiente a bordo basso e svasato a due manici, adatto per cotture in forno o per consentire una rapida vaporizzazione di un liquido.

Glossario

Acidulare
Aggiungere a un liquido una sostanza acida, in genere aceto o succo di limone.

Al dente
Tipo di cottura che permette agli alimenti bolliti di mantenere una certa consistenza.

Apparecchio
Traduzione italiana del termine francese *appareil*, che indica l'insieme di ingredienti utilizzati nella preparazione di un composto di base.

Biologico
Si definiscono "biologici" i prodotti nei quali è escluso l'utilizzo di sostanze chimiche (pesticidi, fertilizzanti e fitofarmaci) in tutte le fasi del ciclo produttivo. Le aziende di produzione devono essere certificate da organismi di controllo.

Bordura
Con questo termine si indica uno stampo a forma di corona e, per analogia, un composto disposto nello stesso modo.

Burro chiarificato
Parte grassa del burro, priva della parte lattea e delle impurità.

Duxelles
Composto a base di champignon cotti e tritati, utilizzato come farcia o come guarnizione.

Fondo aromatico

Insieme di elementi aromatici, in genere tagliati a dadi o a quadretti oppure tritati, utilizzati per aromatizzare salse e altre preparazioni. I fondi aromatici più utilizzati sono: mirepoix, matignon e aromi diversamente combinati.

Glassare

Metodo di cottura di legumi, carni e pesci, cotti in forno in un recipiente coperto. Se si riferisce agli arrosti, significa bagnare con un fondo la carne in cottura affinché diventi lucida. In pasticceria significa ricoprire un dolce con la glassa.

Incorporare

Mescolare due alimenti fino a ottenere un amalgama perfetto.

Letto

Disporre uniformemente uno strato di aromi o un contorno (riso pilaf, spinaci) sul quale si dovrà appoggiare la vivanda principale.

Lotta integrata

Metodo di coltivazione nel quale l'impicgo di sostanze chimiche è ridotto al minimo, senza essere tuttavia completamente bandito.

Mondare

Eliminare le parti non commestibili delle verdure.

Parare

Conferire una forma regolare a un ortaggio arrotondandone le punte; questo termine ha un significato analogo riferito alla carne, alla quale si tolgono le parti grasse e quelle deformate.

Trifolare

Rosolare ortaggi tagliati a lamelle o a rondelle con un fondo di olio, aglio e prezzemolo, a calore moderato e recipiente coperto.

Appendici

Indice generale

Al forno 73

Preparazioni miste 91

Ricette dal mondo 103

Indice alfabetico delle ricette

☐	Ricetta light:	preparazione con un limitato utilizzo di grassi vegetali o animali.
▬	Ricetta veloce:	preparazione che richiede un tempo non superiore ai 35-40 minuti.

Grandi Chef

FERRAN ADRIÁ

Ferran Adriá, nato a Hospitalet de Llobregat nel 1962, è divenuto membro dello staff del ristorante "El Bulli" (Cala Montjoi S/N, Roses, Girona) nel 1983 e primo chef nel 1984. Nel 1990, in società con Julio Soler, ha fondato "El Bulli S.C". Adriá ha creato un nuovo modo di cucinare basato sui prodotti, le lavorazioni e le tecniche, in cui si utilizzano principi di "gastronomia molecolare".

La sua cucina non è solo creativa, ma rivoluzionaria, con piatti che stupiscono prima per l'impatto, poi per il sapore: salse-mousse, spume di verdura e di frutta, abbinamenti dolci-salati, minestre dolci, gelati salati, accostamenti di cibi con diverse temperature e consistenze... Gli ingredienti dei piatti tradizionali sono "destrutturati", quindi ricomposti in nuove combinazioni. È il Mediterraneo a ispirare i sapori. Con Adriá la scienza è entrata in cucina.

PELLEGRINO ARTUSI

Pellegrino Artusi, nato a Forlimpopoli nel 1820 e morto a Firenze nel 1911, ha gettato le basi della cucina italiana partendo dalle preparazioni regionali. Le sue ricette, raccolte nel volume *La scienza in cucina e l'arte di mangiar bene*, ci raccontano che cosa mangiavano le famiglie borghesi dell'Ottocento. Aggiornate alle attuali esigenze alimentari, propongono ancora oggi una valida "cucina di casa".

MARCO CAVALLUCCI

Marco Cavallucci è lo chef simbolo del ristorante "La Frasca" (Via Matteotti 38, Castrocaro Terme, FO). La sua filosofia gastronomica è legata al territorio senza essere tuttavia ortodossa, in quanto non rinuncia all'impiego di prodotti e tecniche innovativi. Con fantasia e mano sicura Cavallucci interpreta le ricette in modo chiaro, pulito, intelligente, senza ridondanze.

CARLO CRACCO

Carlo Cracco è un cuoco di grande levatura tecnica, che si è formato nelle cucine dei migliori ristoranti italiani e francesi. La sua esperienza più significativa è legata al nome di Gualtiero Marchesi, il gran chef presso il quale ha lavorato all'inizio della sua carriera, prima di spiccare il volo e aprire un proprio ristorante. Chef del "Cracco-Peck" (Via Victor Hugo 4, MI), aperto nel 2000, esprime una cucina da cui emergono la tecnica e l'ingegneria culinaria, con ricette classiche rivisitate e altre più legate all'estro creativo. Non mancano preparazioni che sfiorano la provocazione per l'ardito abbinamento di ingredienti, per esempio una portata che vede cioccolato, uova di salmone, di quaglia e midollo dialogare nello stesso piatto.

GENNARO ESPOSITO

Gennaro Esposito è nato a Vico Equense e si è diplomato alla locale scuola alberghiera. In seguito ha partecipato a stage tenuti da grandi chef come Alain Ducasse. Il suo ristorante "La Torre del Saracino" (Via Torretta 9, Vico Equense, NA) è un punto di riferimento della gastronomia campana e propone una cucina strettamente legata ai prodotti del territorio, che del territorio riproduce i sapori.

ALFONSO IACCARINO

Nel ristorante "Don Alfonso 1980" (Corso S. Agata 11, S. Agata sui due Golfi, NA), quasi tutto ciò che entra in cucina proviene dall'azienda agricola dello chef, che produce olio, frutta e verdura. La cucina di Iaccarino è essenzialmente mediterranea, eseguita con mano leggera, in cui sono valorizzati tutti i profumi e i sapori del mare e della costa. L'olio extravergine di oliva è il condimento privilegiato e i piatti sono eseguiti con ingredienti freschissimi e di prim'ordine. Pesce, verdura, frutta e carne povera di grassi costituiscono il paniere da cui scegliere le materie prime, che vengono sottoposte a cotture brevi e delicate, capaci cioè di rispettare il sapore originario del cibo.

FRANÇOIS PIERRE DE LA VARENNE

Vissuto nel XVII secolo, François Pierre de La Varenne è considerato il padre della gastronomia moderna. Con la sua opera *Le cuisinier françois*, uno dei testi fondamentali della cucina francese, diede vita all'arte culinaria del Seicento, dimostrando di essere non solo un cuoco ma anche un collezionista di ricette di diverse provenienze regionali. Sostenne l'importanza della cucina leggera, raccomandando che le salse non coprissero il sapore delle pietanze, e limitò in molti piatti l'utilizzo dell'aglio. Morì in miseria e criticato dagli altri chef, incapaci di comprendere l'importanza della sua opera.

DAVIDE PALLUDA

Dal 1995 Davide Palluda guida con la sorella Ivana il ristorante "All'Enoteca" (Via Roma 57, Canale, CN), annesso all'enoteca regionale del Roero. Solida preparazione pratico-teorica, esperienza e stage in Italia e all'estero sono gli strumenti con cui il giovane chef opera. Estrapola sapori dalla realtà gastronomica territoriale, per dare vita a piatti innovativi combinati alla luce della tradizione piemontese, in cui convivono componenti contadine, aristocratiche e borghesi.

ANNA PARISI

Anna Parisi, moglie del patron del ristorante "La Conchiglia" (Lungomare 33, Arma di Taggia, IM), Giacomo Ruffoni, elabora una cucina creativa ispirata soprattutto al mare. Le materie prime sono definite dalla freschezza ricercata senza mediazioni e le innovazioni sono sempre dettate dal buon gusto e dalla discrezione, in quanto innovare non significa necessariamente "rivoluzionare". Mano esperta e sicura, Anna Parisi garantisce sempre piatti di elevato profilo gastronomico.

VALERIA PICCINI

Valeria Piccini conduce con il marito Maurizio Menichetti il ristorante "Caino" (Via Chiesa 4, Montemerano, GR). Il locale, aperto nel 1971 dai genitori di Maurizio (il papà era soprannominato Caino), nasce come trattoria in una vecchia casa tipicamente toscana. Valeria, entrata a far parte della famiglia Menichetti, apprende dalla suocera le basi della gastronomia toscana e si impegna con passione ai fornelli. Dapprima riproduce gli stessi piatti, ma tra il 1984 e il 1986 diversi viaggi d'istruzione all'estero le consentono il salto di qualità, così da portare il ristorante ai vertici della ristorazione nazionale. Oggi Valeria alterna ai piatti della gastronomia regionale quelli creativi, proponendo una cucina tradizionale rivisitata con competente fantasia.

PAOLO TEVERINI

Paolo Teverini, patron del ristorante "La casa di Paolo Teverini" (Piazza Dante 2, Bagno di Romagna, FC), offre un repertorio culinario pensato per compiacere il cuoco e con l'intento di soddisfare il cliente. È la cucina del ricordo, del vissuto, ma anche della curiosità, e Teverini si muove con disinvoltura tra i prodotti e le ricette del territorio appenninico, ma si supera quando il suo estro creativo ricerca nuovi sapori.

Questo volume è stampato
su carta R4 Matt Satin e cartoncino Prisma Silk
delle Cartiere Burgo

Stampa
Rotolito Lombarda S.p.A.

Finito di stampare
nel mese di novembre 2004
a cura di RCS Quotidiani S.p.A.
Printed in Italy